Oetinger

Eine Welt aus Büchern

Kirsten Boie, 1950 in Hamburg geboren, promovierte Literaturwissenschaftlerin, ist eine der renommiertesten deutschen Kinder- und Jugendbuchautorinnen. Für ihr Gesamtwerk wurde sie mit dem Sonderpreis des Deutschen Jugendliteraturpreises geehrt. Kirsten Boie hat viele beliebte Kinderbuchfiguren für alle Altersgruppen kreiert und engagiert sich stark auf dem Gebiet der Leseförderung. Nicht nur »Paule ist ein Glücksgriff« – so der Titel ihres Debütromans –, sondern auch »Kirsten Boie ist ein Glücksfall für die deutsche Kinderbuch-Literatur« (NDR).

Katrin Engelking, 1970 in Bückeburg geboren, studierte an der Fachhochschule für Gestaltung in Hamburg und arbeitet seit 1994 als freie Illustratorin. In Bildern voller Farben- und Lebensfreude macht sie Kirsten Boies »Kinder aus dem Möwenweg« sichtbar, interpretiert Klassiker von Astrid Lindgren neu und erzählt eigene Geschichten – mit großem Erfolg und zum Vergnügen ihrer Leser und Leserinnen!

Kirsten Boie

Geburtstag im Möwenweg

Bilder von Katrin Engelking

Verlag Friedrich Oetinger · Hamburg

Alle Bücher über die Kinder aus dem Möwenweg:

Wir Kinder aus dem Möwenweg
Sommer im Möwenweg
Geburtstag im Möwenweg
Weihnachten im Möwenweg
Ein neues Jahr im Möwenweg
Geheimnis im Möwenweg
Ostern im Möwenweg
Ferien im Möwenweg

*In der Erstlesereihe »Büchersterne« sind bei Oetinger
die »Abenteuer aus dem Möwenweg« erschienen,
von Kirsten Boie speziell für Leseanfänger aufbereitet.*

© Verlag Friedrich Oetinger GmbH, Hamburg 2003
Alle Rechte vorbehalten
Einband und farbige Illustrationen von Katrin Engelking
Reproduktion: Domino GmbH, Lübeck
Druck und Bindung: Livonia print, Riga
Printed 2016
ISBN 978-3-7891-3149-3

www.kirsten-boie.de
www.oetinger.de

Inhalt

1

Das sind wir alle im Möwenweg

Ich heiße Tara, und ich wohne im Möwenweg.
Nicht alleine natürlich – Mama und Papa und Petja und Maus wohnen auch da. Achtjährige Kinder können ja noch nicht alleine wohnen.

PETJA   MAUS

Aber ohne Petja und Maus würde ich manchmal ganz gut auskommen. Petja ist nämlich schon zehn, und darum will er meistens alles bestimmen. Und Maus geht noch nicht mal in die Schule. Mit dem kann man also noch nicht so furchtbar viel anfangen. Aber wenn wir Großen spielen, kommt er immer angerannt und will mitmachen. Und dabei weiß er meistens gar nicht, wie das geht.

»Nun schimpf mal nicht immer auf deine Brüder«, sagt Mama. »Du hättest schlimmere erwischen können, finde ich.«

Und das stimmt eigentlich auch. Richtig schrecklich finde ich Petja und Maus nicht. Es ist nur schade, dass sie keine Mädchen sind. Aber dafür können sie ja nichts.

Zum Glück gibt es bei uns im Möwenweg trotzdem genug Mädchen, sogar in unserer Reihenhausreihe. Meine allerbeste Freundin Tieneke zum Beispiel wohnt in Nummer 5c. Das ist

TIENEKE   TARA

aber leider nicht neben uns, darum können wir uns auch nicht einfach hinten durch die Gärten besuchen. Dazwischen wohnen nämlich die unfreundlichen Voisins, die nicht wollen, dass Kinder durch ihren Garten laufen.

Mama sagt, das ist ihr gutes Recht. »Ihr könnt ja wohl den kleinen Umweg vorne durch die Haustür machen«, sagt Mama. »Ihr habt doch Beine!«

Und das stimmt ja.

Tieneke ist acht, genau
wie ich, und in derselben
Klasse. Ich finde, das
muss bei besten Freun-
dinnen so sein.
Im Haus neben Tieneke
wohnen Fritzi und Jul,
die sind sieben und zehn
und heißen eigentlich
Friederike und Julia.
Fritzi und Jul sind auch
meine besten Freundin-

FRITZI   JUL

nen, aber vielleicht nicht meine ganz so doll besten wie Tie-
neke. Eine *aller*beste Freundin muss man schließlich haben.
Zum Glück für Petja gibt es bei uns in der Reihe auch noch zwei
Jungs. Das sind Vincent und Laurin, die wohnen neben Fritzi

LAURIN   VINCENT

und Jul im Endhaus. Aber nur
mit ihrer Mutter, weil ihre
Eltern geschieden sind.
Manchmal kommt ihr Vater
in einem vornehmen Cabrio
vorgefahren, um sie zu besuchen. Dann lädt er uns alle
zum Eisessen ein. Darum
glaube ich, dass Vincent
und Laurin die reichsten
Kinder in unserer Reihe sind.
Vincent ist erst neun, aber er
geht trotzdem mit Petja und

Jul in eine Klasse. Ich glaube, Vincent ist das schlauste Kind bei uns. Laurin ist vielleicht nicht ganz so schlau. Dafür ist er aber frecher als Vincent. Das gleicht sich dann wieder aus, sagt Petja.

Habe ich jetzt alle Leute vorgestellt, die in unserer Reihe wohnen?

Ich muss vielleicht noch von Puschelchen und Wuschelchen erzählen, das sind die beiden Kaninchen, die Tieneke in diesen Sommerferien gekriegt hat. Richtige Menschen sind sie ja nicht, aber sie sind so niedlich, dass man es kaum aushalten kann. Wenn wir zu ihnen ins Gehege hinten auf Tienekes Rasen steigen, kommen sie angelaufen und schnuppern an unseren Zehen.

Ich hätte auch furchtbar gerne ein Kaninchen. Oder irgendein anderes Tier. Aber Mama sagt, ich habe schließlich Petja und Maus. Und Tieneke ist ein Einzelkind.

Vielleicht hätte ich auch lieber ein Kaninchen als zwei Brüder. Aber ich bin mir nicht sicher. Manchmal ja und manchmal nein.

Im anderen Endhaus (in dem, wo Vincent und Laurin nicht wohnen) wohnen Oma und Opa Kleefeld. Natürlich sind sie nicht unsere *richtige* Oma und unser *richtiger* Opa (das ginge ja gar nicht bei so vielen Kindern), aber wir müssen trotzdem nicht Herr Kleefeld und Frau Kleefeld zu ihnen sagen. Oma Kleefeld sagt, nun hat das Schicksal es leider nicht so gefügt, dass sie Enkelkinder haben sollten, und da sind sie eigentlich ganz froh, dass sie uns gekriegt haben.

Das können sie auch sein, finde ich. Wir sind nämlich meistens ziemlich nette Kinder.

Kann man merken, dass wir es schön haben in unserer Reihe?

Wir wohnen ja noch nicht mal ein Jahr im Möwenweg, aber trotzdem weiß ich ganz genau, dass es nirgendwo auf der Welt schöner sein kann als bei uns.
Darum will ich immer im Möwenweg wohnen bleiben, sogar wenn ich erwachsen bin. Tieneke will das auch.

2

Wir haben Wasserbomben
und spritzen Opa Kleefeld nass

Der letzte Ferientag ist immer kein so guter Tag, finde ich. Tieneke findet das auch.

Wenn man morgens aufwacht, weiß man ja, dass man nur noch einen Tag Zeit hat, um all die vielen Sachen zu machen, zu denen man Lust hat. Danach muss man wieder jeden Morgen früh aufstehen und jeden Abend früh ins Bett. Und Hausaufgaben muss man auch immer machen.

»Was wollen wir heute tun?«, hat Tieneke mich gefragt, als sie am letzten Sommerferientag morgens bei mir geklingelt hat. Sie hatte nur ihren Badeanzug an, weil es schon morgens so heiß war, dass Puschelchen und Wuschelchen sich in ihrem Gehege unter dem Schattendach verkrochen haben.

Ich hab gesagt, ich zieh mir auch schnell meinen Badeanzug an. Dann haben Tieneke und ich in der Küche an unserem Küchentisch gesessen (draußen war es ja so heiß) und haben gar nichts getan.

»Nanu?«, hat Mama gesagt. Sie war schon ganz früh auf dem Markt gewesen und hatte Pflaumen gekauft. Die hat sie jetzt in den Keller gebracht. »Der letzte Ferientag, und ihr sitzt nur rum? Wisst ihr nichts mit eurer Zeit anzufangen? Dann wird es ja allerhöchste Zeit, dass die Schule wieder losgeht!«

Ich habe ihr erklärt, dass es so viele Sachen gibt, die wir machen wollen. Und wenn wir jetzt eine davon machen, können wir alle anderen nicht machen. Und morgen geht es auch nicht mehr, weil Schule ist. Und das ist so traurig.

»Na, ihr seid mir vielleicht zwei dumme kleine Nasen!«, hat Mama gesagt. »Und ein bisschen im Weg seid ihr mir auch.«

Da hat es zum Glück an der Haustür geklingelt, und Fritzi und Jul haben davorgestanden (auch im Badeanzug!) und wollten uns zum Spielen holen.

»Wir haben Wasserbomben!«, hat Fritzi geschrien.

Habe ich schon erzählt, dass der Vater von Fritzi und Jul der netteste von all unseren Nachbarn ist? Er heißt Michael und ist Busfahrer. Gestern Abend war er von der Arbeit nach Hause gekommen, hat Fritzi erzählt, und hatte gesagt, weil das Ferienende immer so traurig ist, sollten seine Töchter am letzten Tag wenigstens noch ein bisschen Spaß haben.

Darum hatte er ihnen Wasserbomben mitgebracht. Fünf Tüten voll! Michael ist wirklich ein netter Vater.

Und bei dem heißen Wetter waren Wasserbomben auch genau das Richtige. Wir sind nach hinten in unseren Garten gegangen und haben alle vier einen von diesen kleinen Ballons an unserem Außenwasserhahn aufgefüllt. Dann hat Jul »Achtung – fertig – los!« geschrien, und dann haben wir geschmissen.

Meine Wasserbombe war grün. Sie ist leider gegen den Zaun geflogen und zerplatzt. Da war sie ja vergeudet. Aber Tieneke und Jul haben beide Fritzi getroffen, und Fritzi hat ganz laut

»Mama! Iiih! Mama!« geschrien und hat fast angefangen zu heulen. Dabei ist so eine kleine Abkühlung bei der Hitze doch schön.

Wir mussten Fritzi alle versprechen, dass wir beim nächsten Mal nicht mehr auf sie zielen. Dann haben wir wieder neue Ballons gefüllt, und ich hatte richtig so ein ängstliches Ziehen im Bauch. Weil man ja gleichzeitig schmeißen muss und auch aufpassen, dass man nicht getroffen wird. Weil ich beides zusammen nicht so gut konnte, hat Jul mich auch getroffen. Mit einer blauen Wasserbombe. Genau am Nabel! Es hat sich sehr, sehr kalt angefühlt, und ich habe auch »Iiih!« geschrien, aber geheult habe ich nicht. Dazu war es viel zu lustig.

Wir haben noch eine ganze Weile immerzu hin und her geschmissen, bis wir alle klitschenass waren. Dann hat Jul gesagt, nun ist es ihr zu schade um die schönen Wasserbomben. Noch nasser können wir ja gar nicht mehr werden. Und außerdem hat sie eine Idee.

Sie hat gesagt, dass wir ganz viele Ballons auf Vorrat füllen sollen. Dann wollten wir sie vorsichtig in einen Wassereimer tun und gucken, wo die Jungs waren.

»Bei so einer Bullenhitze freuen die sich doch über eine kleine Abkühlung!«, hat Jul gesagt. »Sonst kann ich ihnen leider auch nicht helfen.«

Wir haben also zwölf Wasserbomben fertig gemacht und sie alle in unseren neuen Zink-Garteneimer getan. Dann sind wir zum Garagenplatz geschlichen. Da haben die Jungs tatsächlich Fußball gespielt. Bei so einer großen Hitze!

»Jetzt kommt die Abkühlung!«, haben wir geschrien. Dann haben wir nach ihnen geschmissen. Ich habe auf Vincent gezielt

und Jul auf Petja und Tieneke auf Laurin. Das hatten wir vorher so abgemacht. Fritzi durfte zielen, auf wen sie wollte.

Und wirklich, Tieneke und ich haben getroffen! Die Jungs waren so verblüfft, dass sie sich gar nicht schnell genug wegducken konnten. Petja hat gebrüllt wie ein Stier.

Danach wussten sie ja Bescheid, und sie sind auf dem Garagenplatz hin und her gehüpft, dass wir keine Chance mehr hatten. Jul hat Petja noch einmal am Bein getroffen, aber sonst sind die Jungs trocken geblieben.

Trotzdem hat Petja ganz laut »Rache!« geschrien. Da hatten wir leider schon keine Wasserbomben mehr, um nach ihnen zu werfen.

Dann sind die Jungs nach Hause gerannt, und wir haben die leeren Ballons vom Boden aufgesammelt und in den Eimer getan. Mama findet es nicht schön, wenn ich meinen Abfall überall rumliegen lasse.

»Wetten, Petja holt jetzt seinen Super-Soaker?«, hab ich gesagt.

Das haben die anderen auch geglaubt.

Wir hätten natürlich ganz schnell nach Hause rennen oder uns irgendwo verstecken können, damit die Jungs uns nicht nass spritzen sollten, aber das hätte ja keinen Spaß gemacht. Wir

haben uns nur alle zusammen hinter den Schuppen gestellt, in dem unsere Fahrräder aufbewahrt werden.

»Rache!«, hat Petja wieder gebrüllt, als die Jungs zurück auf den Garagenplatz gekommen sind.

Er hatte wirklich seinen Super-Soaker mitgebracht, und hinter ihm kamen Vincent und Laurin mit ihren Spritzelefanten. Ihre Mutter erlaubt ihnen keine Wasserpistolen, weil sie Waffen schrecklich findet. Einen Super-Soaker erlaubt sie erst recht nicht, weil der ja sogar eine noch größere Wasserpistole ist. Darum haben Vincent und Laurin so kleine blaue Elefanten, die spritzen das Wasser aus ihrem Rüssel.

Man konnte richtig sehen, dass es Vincent peinlich war. Schließlich kommt er schon in die 5. Klasse.

Er ist aber trotzdem hinter uns hergerannt und hat »Na wartet!« gebrüllt, und die ganze Zeit hat Petja mit seinem Super-Soaker nach uns gespritzt. Zum Glück waren wir ja sowieso schon pitschenass.

Als die kleinen Elefanten leer waren und der Super-Soaker auch, haben die Jungs gefragt, ob wir uns jetzt ergeben.

Jul hat gesagt, wir denken überhaupt nicht daran. Wenn die Jungs sich das nächste Mal Wasser holen, holen wir uns neue Wasserbomben, und dann sollen sie mal sehen, wer besser trifft.

Vincent hat gesagt, das findet er blöde. (Er hat ja natürlich gewusst, dass er mit seinem Elefanten keine Chance gegen uns hat.) »Es macht doch viel mehr Spaß, wenn wir jemand anders nass spritzen«, hat er gesagt.

Da war ich aber überrascht. Vincent ist sonst immer so gut erzogen. Vielleicht hatte die Sonne seinen Kopf zu heiß gemacht. Aber Petja hat natürlich sofort geschrien: »O ja, geil, das machen wir!«, und da sind wir alle zu unseren Wasserhähnen gerannt. Die Jungs haben den Soaker und die Elefanten gefüllt und Tieneke und Jul und Fritzi und ich noch vier Wasserbomben. Mehr wollte Jul nicht rausrücken.

Dann haben wir uns hinter die Garagen gestellt und gewartet, dass jemand vorbeikommen sollte. Ich habe gedacht, dass Mama es bestimmt nicht so gut findet, wenn wir fremde Leute nass spritzen. Aber an so einem heißen Tag ist es vielleicht mal erlaubt. Und wenn die fremden Leute Kinder sind, sowieso. Darum habe ich gehofft, dass gleich ein Kind vorbeikommt.

Das ist aber leider nicht passiert. Der Möwenweg ist ja noch eine Baustraße, darum wohnen nicht so viele Leute bei uns. Die meisten Häuser müssen erst noch gebaut werden. Trotzdem ist plötzlich jemand auf den Garagenplatz gekommen. Wir wollten alle gerade loslegen, da haben wir gesehen, wer es war. Es war Herr Voisin.

Da haben wir gewusst, dass wir ihn nicht nass spritzen dürfen, weil er sich sonst hinterher bestimmt bei unseren Eltern beschwert. Petja hat nur mal ganz kurz mit seinem Super-Soaker gegen die Garagentür gespritzt. Nicht mal eine Sekunde. Und sogar ziemlich weit von Herrn Voisin weg.

Herr Voisin ist auch kein klitzekleines bisschen nass geworden. Aber trotzdem hat er sich blitzschnell umgedreht, und als er uns hinter dem Schuppen entdeckt hat, hat er mit der Faust gedroht.

Vielleicht hat er ja gedacht, dass Petja ihn nass spritzen wollte.

Dabei hat Petja doch mit Absicht danebengezielt.

»Unglaublich!«, hat Herr Voisin gerufen. Da haben wir gewusst, dass er heute Abend bestimmt wieder bei Mama und Papa klingelt.

Als Herr Voisin weggegangen war, ist eine ganze Zeit lang niemand gekommen. Wir wollten gerade aufgeben und doch lieber wieder eine kleine Wasserschlacht machen, da ist Opa Kleefeld um die Ecke gebogen.

»Ergeben Sie sich!«, hat Petja geschrien und ihm mit dem Super-Soaker gegen die Beine gespritzt.

Ich wollte gerade meine Wasserbombe werfen, da hat Vincent ganz laut »Stopp!« gebrüllt.

»Der kriegt doch einen Herzschlag!«, hat er geflüstert. »Bei alten Leuten geht so was nicht!«

Und Opa Kleefeld hat auch wirklich ganz erschrocken ausgesehen. Vielleicht sogar ein bisschen böse. Gar nicht so vergnügt wie sonst immer, wenn wir Quatsch mit ihm machen. Opa Kleefeld mag Quatsch nämlich gerne.

»Nein, Kinder, das geht aber wirklich nicht!«, hat er gesagt, als er uns hinter der Garage gesehen hat. »Ihr müsst doch wissen, wo die Grenze ist!«

Da habe ich erst gesehen, dass er eine sehr feine Hose anhatte und ein sehr feines Sakko. Vielleicht wollte er jemanden besuchen.

»Entschuldigen Sie bitte, das war aus Versehen!«, hat Vincent gesagt. Eigentlich hätte das ja Petja sagen müssen.

Opa Kleefeld hat geseufzt. »Nun kann ich mich umziehen«, hat er gesagt. »Seht ihr wenigstens ein, dass es so nicht geht?«

Wir haben alle gesagt, dass wir es einsehen. Es hat auch gestimmt. Einen Netten wie Opa Kleefeld wollten wir ja nicht ärgern.

»Und schwört ihr, dass so was nie wieder passiert?«, hat Opa Kleefeld gefragt.

Wir haben geschworen.

Da hat Opa Kleefeld gesagt, dass er dann dieses Mal Gnade vor Recht ergehen lässt und nicht mit unseren Eltern redet. Aber eine trockene Hose muss er sich anziehen, und nun kommt er vielleicht zu spät zu seinem Arzt-Termin.

Da habe ich mich geschämt, weil wir ja schuld waren. Es war eigentlich schlimmer, als wenn er geschimpft hätte.

Wir sind alle hinter Opa Kleefeld hergegangen. Gerade als er an unserer Pforte vorbeigekommen ist, hat Mama vorne unsere Flurmatte ausgeschüttelt.

»Was ist denn da passiert?«, hat sie ganz erschrocken gefragt und Opa Kleefelds Beine angeguckt. Die Hose war wirklich ziemlich nass. So ein Super-Soaker spritzt ja gut.

Opa Kleefeld hat gelacht. »Kleines Missgeschick, kein Grund zur Sorge!«, hat er gesagt. »Im Winter wäre es schlimmer!«

Dann hat er sich an die Stirn getippt, als ob er eine Mütze aufhätte. Das macht Opa Kleefeld immer.

Man stelle sich vor, er hat uns nicht verpetzt! Wir haben wirklich Glück, dass Oma und Opa Kleefeld so nette Leute sind.

Aber Mama hat natürlich trotzdem unsere Wasserspritzsachen entdeckt.

»Nein!«, hat sie gerufen. »Ihr habt doch wohl nicht Herrn Kleefeld ...«

»Nur aus Versehen!«, habe ich ganz schnell gesagt. Ich habe nicht geglaubt, dass Mama es gut findet, wenn wir ihr erzählen, dass wir bei den Garagen auf Leute zum Nassspritzen gewartet haben. »Er war gar nicht böse!«

Da hat Mama geseufzt und gesagt, vielleicht sollten wir jetzt lieber mal was Vernünftiges tun. Sie hatte ja auf dem Markt zwei Kilo Pflaumen gekauft, um ein Blech Pflaumenkuchen zu backen, aber nun hatte sie keine Hefe mehr.

»Vielleicht könntet ihr die für mich besorgen?«, hat sie gefragt. Die Jungs sind schnell wieder auf den Garagenplatz verschwunden, aber wir Mädchen haben gesagt, das können wir machen.

Wir mögen alle gerne allein einkaufen gehen. Und barfuß und im Badeanzug macht es ja sogar noch mehr Spaß.

3

Wir kaufen ein und entdecken ein Geheimnis

Von unseren Häusern bis zum Supermarkt ist es ein ziemlich weiter Weg, darum hat Tieneke vorgeschlagen, dass wir uns die ganze Zeit immer aufsagen müssen, was wir einkaufen sollen. Sonst vergessen wir es noch. In Geschichten vergessen Kinder nämlich immer die Hälfte, wenn sie alleine einkaufen gehen.

Ich habe aber nicht gewusst, was wir vergessen konnten, wenn wir nur Hefe einkaufen sollten. Trotzdem habe ich eine Weile mit Tieneke zusammen immerzu »Hefe, Hefe, Hefe« gesagt.

Wir haben versucht, alle vier immer »He« zu sagen, wenn wir mit dem rechten Bein gegangen sind, und »fe«, wenn das linke Bein dran war. Natürlich hat Fritzi wieder links und rechts verwechselt.

Dann hat Jul vorgeschlagen, dass wir das Wort ja in unserer Geheimsprache sagen können. Da muss man immer den ersten Buchstaben wegnehmen und hinten dranhängen, und dann kommt noch ein »i« dazu. Da wird aus »Hefe« ja »efe-Hi«. Wir sind aber schnell mit den Beinen durcheinandergekommen.

Jul hat gesagt, nun haben wir so oft »Hefe, Hefe, Hefe« gesagt, dass wir es bestimmt nicht mehr vergessen. Sonst müssten wir ja schon krank im Kopf sein.

»Jetzt können wir lieber was anderes machen«, hat Jul gesagt. »Jetzt spielen wir ›blind‹.« Das spielt nämlich ihre Klasse auf dem Schulhof auch immer.

Das fanden wir alle gut.

Ich habe also Tienekes Hand genommen, und dann habe ich meine Augen zugemacht, und Tieneke hat mich geführt. Sie hat immer »Vorsichtig, gleich ein bisschen mehr rechts!« gesagt oder: »Achtung, Straße!«

Ich hab aber ein winziges bisschen geschummelt und so zwischen meinen Wimpern durchgeluschert. Darum bin ich auch kein einziges Mal gestolpert.

Als Tieneke dran war, ist sie auch nicht gestolpert. Da hab ich gewusst, dass sie auch heimlich luschert.

»Du schummelst!«, habe ich gesagt. »So gilt das nicht.«

»Ich schummel gar nicht!«, hat Tieneke geschrien und die Augen ganz fest zusammengekniffen. »Siehst du ja wohl!«

Da waren wir zum Glück beim Supermarkt angekommen. Sonst hätten wir uns vielleicht noch richtig gestritten.

»Was sollten wir noch kaufen?«, hat Jul gefragt und sich am Kopf gekratzt. »Hilfe, jetzt hab ich es vergessen!«

Das hat sie natürlich nur aus Quatsch gesagt, und Tieneke und ich haben auch gleich »Hilfe! Was sollten wir bloß noch kaufen!« gerufen.

Da ist Fritzi ganz aufgeregt geworden und hat gebrüllt: »Hefe! Ich weiß das noch! Ich weiß das noch!«

Aber als sie gemerkt hat, dass wir sie bloß reinlegen wollten, war sie ganz böse.

Im Supermarkt hat Tieneke sich einen Einkaufswagen geschnappt, und dann hätten wir uns fast schon wieder gestritten, wer ihn schieben darf. Wir haben uns dann aber geeinigt,
dass Tieneke bis zur Hefe hin schiebt, und ich darf hinterher
von der Hefe bis zur Kasse. Fritzi hat sich einen eigenen kleinen Wagen für kleine Kinder genommen, und Jul wollte sowieso nicht schieben. Sie hat gesagt, für so einen kleinen Hefe-
würfel so einen großen Einkaufswagen zu nehmen ist albern.
Die Hefe kann man auch einfach nur in die Hand nehmen.
Das wollten Tieneke und ich aber nicht.
Tieneke hat ihren Fuß unten auf den Wagen gestellt und ist
durch die Gänge gerollert. Die Hefe liegt gleich vorne im Kühl-
regal bei der Milch, aber Tieneke ist trotzdem erst mal durch
den ganzen Laden gerollert.
»Du schummelst!«, hab ich gerufen. »Nur bis zur Hefe!«
Aber Tieneke ist einfach weitergerollert.
»Kannst du ja nachher auch machen!«, hat sie gesagt.
Das konnte ich aber leider nicht, weil nämlich der Marktleiter
gekommen ist und gesagt hat, dass hier kein Spielplatz ist. Dabei haben wir überhaupt niemanden gestört. Nur Fritzi ist mit
ihrem kleinen Wagen ein winziges bisschen gegen eine Frau
gefahren. Aber sie hat sich gleich entschuldigt.
Wir haben die Hefe also in unseren Wagen gelegt und sind ganz
vernünftig durch den Süßigkeitengang zur Kasse gegangen.
Da hat Tieneke plötzlich »Stopp!« gerufen.
»Da!«, hat sie geflüstert. »Guck mal, Tari!« (Zum Glück sind wir
ja nie lange zerstritten.)
In einem Regal ganz unten lagen lauter Packungen mit Scho-
koladenzigaretten, wie es sie nur ganz selten gibt. Mama sagt,

Schokozigaretten sind nicht schön, weil echte Zigaretten auch nicht schön sind, sondern lebensgefährlich. Und wenn Kinder erst mal Schokozigaretten rauchen, wollen sie später vielleicht auch echte rauchen.

Unser Supermarkt hat sie zum Glück trotzdem verkauft. Vielleicht hatten sie aber Angst, dass sie Ärger mit den Müttern kriegen. Darum haben sie die Zigaretten ganz nach unten gepackt, wo man sie nicht so gut sieht.

Aber wir hatten sie trotzdem gefunden.

»Haben, haben, haben!«, hab ich geflüstert.

Mama hatte uns Geld für Eis erlaubt, weil wir doch an so einem heißen Tag für sie den weiten Weg bis zum Supermarkt laufen mussten. Jul hat gesagt, für das Eisgeld können wir uns natürlich genauso gut Zigaretten kaufen.

Wir haben uns alle verschiedene Schachteln ausgesucht. Meine Marke hieß »New York«, und es waren Wolkenkratzer drauf, und Tienekes hieß »Paris« und hatte ein Bild von einem hohen

Turm. Wie die von Fritzi hieß, weiß ich nicht mehr, aber Jul hatte »London« mit einer Brücke auf dem Bild.

Innendrin waren sie aber alle gleich.

Wir haben unsere Schachteln in den großen Wagen gelegt (nun war es doch gut, dass wir ihn genommen hatten) und geschworen, dass wir niemandem verraten wollen, wo es die Zigaretten gibt. Das soll auf ewig unser Geheimnis bleiben. Wir haben nämlich gerne ein Geheimnis, Tieneke und ich. Es macht so viel Spaß, wenn man den Jungs nichts erzählen darf.

An der Kasse stand überhaupt keine Schlange, aber leider war die Kassiererin trotzdem sehr unfreundlich.

»Habt ihr das Geld nicht kleiner?«, hat sie gefragt, als ich ihr einen Fünfzig-Euro-Schein gegeben habe.

Aber das hatten wir nicht. Mama hatte überhaupt kein Kleingeld mehr, und sie hat gesagt, wenn wir alle vier zusammen gehen, hat sie auch keine Angst, uns einen großen Schein mitzugeben.

»Kein Kleingeld?«, hat die Verkäuferin gefragt.

Ich hab gemerkt, wie ich rot geworden bin. Wenn die Kassiererinnen so unfreundlich sind, mag ich überhaupt gar nicht mehr einkaufen gehen.

Die Kassiererin hat etwas gemurmelt und meinen Schein genommen und in ihrer Kleingeldschublade gekramt, und dann hat sie mir die Quittung und das Rückgeld gegeben.

Ich war sehr froh, als wir draußen waren.

Aber Jul hat mit mir geschimpft. »Du hast das Wechselgeld ja gar nicht nachgezählt!«, hat sie gesagt. »Das muss man immer!«

Also haben wir uns neben der Eingangstür hingestellt, wo an

so einem kleinen Ring immer die Hunde festgebunden werden (aber diesmal war keiner da), und Jul hat die Quittung angeguckt und das Geld nachgezählt.

Und man stelle sich vor, da haben tatsächlich zehn Cent gefehlt!

»Sie hat dich reingelegt«, hat Jul gesagt. »Geh zurück und sag, du willst dein Geld.«

»Das war bestimmt aus Versehen!«, habe ich gesagt. Reingehen wollte ich nicht. Das war mir viel zu peinlich. Nachher gucken alle Leute mich so an.

Tieneke hat sich auch nicht getraut.

»Du kannst dir doch nicht dein Geld klauen lassen!«, hat Jul gerufen. Aber sie wollte sich auch nicht für mich beschweren. Sie hat gesagt, sie tut es extra nicht, damit es eine Lehre für mich sein soll. Aber ich glaube, in Wirklichkeit war es ihr auch zu peinlich.

Mama hat aber nicht geschimpft, als ich mit dem zu wenigen Geld nach Hause gekommen bin. Sie hat gesagt, in der Hektik kann das schon mal passieren. Beim nächsten Mal soll ich besser gleich nachzählen. Aber zehn Cent sind schließlich nicht die Welt.

Dann sind wir zum Garagenplatz gegangen, wo die Jungs immer noch gebolzt haben, und haben alle eine Zigarette in den Mundwinkel gesteckt. Im Mundwinkel sieht es richtig cool aus, und wenn man nicht ganz genau hinguckt, ist es fast wie echt.

»Geil!«, hat Petja geschrien. »Die Weiber haben Zigaretten!«

Sie wollten natürlich sofort wissen, wo wir die gekauft hatten. Wir haben aber gesagt, es ist ein Geheimnis, das wir bei Strafe des Todes nicht verraten dürfen.

»Tja, Pech, Herr Specht!«, hat Jul gesagt. »Geheimnis ist Geheimnis.«

»Tja, Pech, Herr Specht!«, haben Tieneke und Fritzi und ich auch gerufen.

(Ganz richtig reimt es sich ja nicht. Da müsste es »Pech*t*, Herr Specht« heißen oder »Pech, Herr Spech«. Aber ich finde, es ist trotzdem ein guter Spruch. Gute Sprüche finde ich so nützlich.)

Nachher haben wir den Jungs aber von unseren Zigaretten abgegeben. Jul hat Petja eine gegeben und ich Vincent und Fritzi Laurin und Tieneke Maus.

Den mussten wir sogar extra suchen. Er ist mit seinem Dreirad ganz hinten in unserer Straße auf dem Fußweg gefahren und hatte meinen alten kleinen Kinderbesen hinten an den Sattel gebunden. Da ist er beim Fahren immer so hinter ihm hergerattert. Maus hat gesagt, er ist das Straßenfegerauto. Das findet er nämlich immer so gut.

Ein bisschen war die Zigarette für Maus aber vergeudet, weil er sofort das Papier abgepult und sich die Schokolade in den Mund

gestopft hat. Dafür hätte er ja nun keine wertvolle Zigarette gebraucht. Da hätte ja ganz normale Schokolade ausgereicht. Maus ist wirklich noch ziemlich dumm.

Dann hat Mama Petja und mich gerufen und uns gefragt, ob wir ihr helfen wollen, die Pflaumen für den Kuchen zu entkernen. Sie hat gesagt, alleine schafft sie es nicht mehr. Sie muss nämlich noch zum Zahnarzt. Und wenn sie erst hinterher anfängt, wird der Kuchen heute nicht mehr fertig. Und dabei wollte sie doch extra ein gemütliches Letzter-Ferientag-Kaffeetrinken auf der Terrasse für uns veranstalten.

Petja hat gesagt, leider ist das Fußballspiel auf dem Garagenplatz noch nicht zu Ende und es steht gerade 8:7 für die andere Mannschaft. Und seine Mannschaft ist nur er alleine. Und dass ein Geist für ihn das Ausgleichstor schießt, glaubt Mama ja wohl selber nicht.

Aber ich wollte Mama gerne helfen. Ich mag immer so gerne richtige Sachen machen: richtig einkaufen und richtig Tomaten schneiden und richtig kochen und richtig Pflaumen entkernen. Tieneke und ich können das ja alles auch spielen, aber wenn man es echt macht, bringt es noch viel mehr Spaß, finde ich.

Leider findet Tieneke das nicht immer. Sie hat gesagt, vielleicht muss sie sich jetzt mal kurz um Puschelchen und Wuschelchen kümmern. Dann ist sie in ihren Garten gegangen.

Ich habe überlegt, ob sie trotzdem noch meine allerbeste Freundin ist. Ich glaube aber, doch.

4

Wir machen Weitspucken und feiern ein Sommerferienabschlusstrostgrillfest

Fritzi und Jul wollten auch gerne Pflaumen entkernen. Mama hatte sie schon in einem Sieb auf den Terrassentisch gestellt und eine kleine Schüssel für die Kerne daneben und eine große für die Pflaumen ohne Kern. Und außerdem hatte sie zur Feier des Tages eine Flasche Cola gekauft. Die hat sie uns rausgestellt mit drei Gläsern. Da hat es sich für Fritzi und Jul doch gelohnt, dass sie mir helfen wollten.

So eine ganz große Hilfe war Fritzi vielleicht nicht, aber Jul und ich haben ihr gezeigt, wie man mit beiden Daumen in die Pflaumen drücken muss, um sie auseinanderzubrechen. Dann flutscht der Kern raus.

Da konnte Fritzi es nachher auch.

Zuerst haben wir Wettpulen gemacht. Das hat Jul vorgeschlagen. Bestimmt hat sie gedacht, sie ist die Schnellste von uns. Weil sie doch schon zehn ist, und ich bin erst acht.

Aber als wir unsere Kerne immer so vor uns auf den Tisch gelegt haben (die kleine Schüssel haben wir gar nicht gebraucht), war mein Haufen bald größer als Juls. Da hat Jul gesagt, Wettpulen ist eigentlich ein blödes Spiel. Vielleicht können wir zur Abwechslung ja auch mal Wettspucken machen.

Das fanden wir eine gute Idee.

Wir haben also alle eine Pflaume gegessen, und den Kern haben wir mit der Zunge in die Backe geschoben. Dann hat Jul mit der Hand ein »Achtung fertig los!«-Zeichen gegeben (reden konnte sie ja nicht, weil sie doch den Kern im Mund hatte und gleich spucken musste), und dann haben wir alle gleichzeitig gespuckt.

Hat jemand schon mal mit Pflaumenkernen Weitspucken gemacht? Es ist wirklich ziemlich schwierig, das denkt man gar nicht. Wir haben versucht, den winzigen Kirschbaum zu treffen, den Mama und ich hinten am Zaun gepflanzt haben, weil wir in unserem Garten so gerne eigenes Obst ernten möchten. Wer einen Garten hat, will doch seine Kirschen selber pflücken, sagt Mama.

Aber unsere Kerne sind nicht mal durch den halben Garten

gesegelt. Und kann man sich das vorstellen, Fritzi konnte von uns dreien am allerweitesten spucken! Sogar weiter als Jul. Dabei war sie doch noch nicht mal in der zweiten Klasse. Erst nach den Ferien.

Da wollte Jul es immer noch mal und immer noch mal probieren und ich auch. Wir haben gegessen und gegessen und gespuckt und gespuckt, und dann ist mir wieder eingefallen, dass Mama die Pflaumen ja für ihren Kuchen haben wollte.

»Stopp!«, hab ich geschrien. Wir sind auf unserem Rasen herumgekrochen und haben die Kerne eingesammelt und sie in die kleine Schüssel getan. Ich habe nämlich gedacht, vielleicht findet Mama Wettspucken nicht so gut. Es waren 34 Kerne.

Aber einen Kern habe ich behalten und am Zaun neben dem Kirschbaum in die Erde gesteckt. Vielleicht wird ja ein Pflaumenbaum daraus. Dann können wir in unserem Garten nicht nur eigene Kirschen ernten, sondern auch eigene Pflaumen.

Hinterher habe ich Mama davon erzählt, und sie hat gesagt, es ist eine gute Idee.

Als wir alle Pflaumen entkernt hatten, haben wir die Schüssel in die Küche gebracht. Mama hat gesagt, sie möchte sich ganz herzlich bei uns bedanken. Alleine hätte sie das niemals so schnell geschafft.

»Ach, haben wir doch gerne getan!«, hat Jul gesagt.

»Aber ich glaube fast, ich habe zu wenig Pflaumen gekauft!«, hat Mama gerufen. »Jetzt, wo sie keine Kerne mehr haben, sehen sie plötzlich nur noch halb so viel aus. Komisch, dass ein Pflaumenberg so schrumpfen kann!«

Wir haben gesagt, dass wir das auch komisch finden. Aber am Abend habe ich Mama doch erzählt, dass 34 Pflaumen in unseren Bäuchen verschwunden sind. Sie hat gesagt, das hatte sie sich schon fast gedacht.

»Vielleicht backe ich kein ganzes Blech, vielleicht backe ich einfach nur eine Pflaumentorte«, hat Mama gesagt. »Das reicht auch.«

Und damit hatte sie recht. Weil wir den Kuchen sowieso nur als Nachtisch gebraucht haben! Als Michael von der Arbeit gekommen ist, hat er nämlich einen ganzen Sack Grillkohle mitgebracht und zwei Pakete mit eingeschweißten Würstchen.

Er hat gesagt, er kann sich noch genau erinnern, wie furchtbar er sich als Kind immer am letzten Sommerferienabend gefühlt hat. Und darum wird er dafür sorgen, dass für seine Töchter

und ihre Freunde auch der letzte Ferienabend ein schöner Abend wird, und darum wird er jetzt ein kleines Grillfest veranstalten. Das war doch mal wieder typisch! Im Möwenweg feiern wir immer so viel.

Und war das nicht nett von Michael? Dabei habe ich es gar nicht so ganz furchtbar gefunden, dass die Schule wieder losgehen sollte. Das hab ich aber nicht gesagt. Vielleicht hätte ich sonst kein Grillwürstchen gekriegt.

Michael hat auf Fritzis und Juls Terrasse den Grill aufgestellt, und Fritzi hat ihm den Föhn gebracht (weil die Holzkohle doch sonst immer nicht brennt), und ich habe von uns den Pflaumenkuchen geholt. Tienekes Mutter hatte noch Gemüsesuppe eingefroren, die hat sie in der Mikrowelle aufgetaut, weil sie so schnell nichts anderes finden konnte. Wir hatten ja alle nicht gewusst, dass es ein Grillfest geben sollte.

Darum hatte Zita-Sybill (das ist die Mutter von Vincent und Laurin) auch leider überhaupt kein Essen, das sie beisteuern konnte, hat sie gesagt. Aber sie hat eine Flasche Wein mitgebracht, den hatte sie im letzten Jahr im Urlaub in der Toskana gekauft. Michael hat gesagt, immer her damit.

Ich weiß gar nicht, warum die Erwachsenen immer Wein trinken müssen. Oder Bier. Einmal habe ich heimlich einen winzigen, winzigen Schluck aus Mamas Glas

probiert, und es hat so grässlich geschmeckt, dass ich ihn gleich wieder ausgespuckt habe. Ins Rosenbeet. Ich hoffe, es war nicht schlimm für die Rosen.

Ich trinke viel lieber O-Saft. Mit Fruchtfleisch.

Natürlich war auf Michaels Terrasse nicht so viel Platz, dass alle Kinder und Eltern sitzen konnten, aber Michael hat gesagt, es ist ja auch kein feierliches Festbankett im Schloss. Jeder durfte sich einfach nehmen, was er haben wollte, und im Stehen essen, und Tieneke und ich sind rüber in ihren Garten gegangen und haben uns mit unseren Grillwürstchen zu Puschelchen und Wuschelchen in den Auslauf gesetzt. Ich habe ihnen ein winziges Stückchen Wurst hingelegt, damit sie es auch schön haben sollten. Aber es stimmt wirklich, dass Kaninchen Vegetarier sind. Sie haben nur ganz kurz an der Wurst geschnuppert, und dann sind sie richtig erschrocken weggehoppelt.

Mama hat Schlagsahne für den Pflaumenkuchen gebracht und gesagt, dass die Mädchen eigentlich fast die ganze Arbeit gemacht haben.

»Sie haben wirklich alle Pflaumen alleine entkernt!«, hat Mama gesagt. Michael hat gesagt, bestimmt schmeckt der Kuchen deshalb so gut.

»Wozu wollt ihr überhaupt noch in die Schule gehen?«, hat er gefragt. »Ihr könnt doch schon alles, was man im Leben braucht!«

Das stimmt aber nicht. Ein bisschen Mathe und Rechtschreibung und was die Tiere im Winter machen, muss man schon auch noch lernen, finde ich. Aber es war doch schön, dass Michael uns gelobt hat.

Alle haben gesagt, dass unser Kuchen sehr gut schmeckt. Nur Laurin wollte nichts davon essen, weil so viele Wespen drum herumgeschwirrt sind. (Wir haben eine Wespenfalle mit Zitronensaft und Zucker aufgestellt, aber die Wespen haben nicht verstanden, dass die für sie war.) Und Laurin hat Angst vor Wespen. Ihn hat mal eine gestochen, als wir einen Ausflug gemacht haben.

Leider hat Mama mich schon ganz früh nach Hause ins Bett geschickt. Sie hat gesagt, Grillfest hin oder her, am nächsten Morgen ist wieder Schule, und da müssen wir ausgeschlafen sein. Tienekes Mutter hat das auch gesagt und Fritzis Mutter auch. Da war das schöne Fest ziemlich schnell zu Ende. Aber trotzdem ist ein Wunder geschehen, und das muss ich noch erzählen.

Als wir uns nämlich alle bei Fritzi und Jul auf der Terrasse gedrängelt haben, habe ich plötzlich gemerkt, dass ja Oma und Opa Kleefeld gar nicht dabei waren.

Michael hat gesagt, eigentlich ist es natürlich ein Sommerferienabschlusstrostgrillfest für Schulkinder und ihre Eltern. Aber Oma und Opa Kleefeld können schließlich nichts dafür, dass sie keine Kinder haben.

Darum durften wir sie auch holen.

Als Tieneke und ich geklingelt haben, hat Opa Kleefeld die Tür aufgemacht und sich sehr gefreut. Er hat gesagt, Oma Kleefeld und er hätten sich schon die ganze Zeit gewundert, was denn bloß dahinten in den Gärten los wäre.

Tieneke hat gesagt, wenn Oma und Opa Kleefeld noch was Schönes zu essen haben, können sie es mitbringen.

Und man stelle sich vor, Oma Kleefeld hatte gerade eine Schüssel Schokoladenpudding für den Nachtisch am nächsten Tag gekocht. Den hat sie mitgebracht, obwohl er noch nicht ganz kalt war. Ich mag warmen Schokopudding vielleicht noch lieber als kalten.

Und jetzt kommt das Wunder. Als Kleefelds sich nämlich gerade auch ein Würstchen und ein bisschen Gemüsesuppe genommen hatten, ist zwei Gärten weiter die Terrassentür aufgegangen, und der unfreundliche Herr Voisin ist nach draußen gekommen. Bestimmt wollte er gucken, wer da solchen Krach macht. Damit er wieder schimpfen konnte.

Aber Opa Kleefeld hat einfach ganz freundlich zu ihm hingewinkt.

»Hallo, Nachbar Voisin!«, hat er gerufen. »Wir feiern gerade den Abschied vom Sommer! Wollen Sie nicht zu uns stoßen?« Und man stelle sich vor, Herr Voisin hat nicht geschrien, dass das eine Frechheit ist und eine Störung der Nachtruhe (es war ja auch erst sieben Uhr). Er hat ausgesehen, als ob er verlegen ist, und dann hat er gesagt, er wird seine Frau fragen, aber er glaubt, eigentlich haben sie was anderes vor.

»Ach, Unfug!«, hat Opa Kleefeld gerufen. »Nun kommen Sie schon!«

Und da sind Voisins wirklich gekommen! Zu Michael auf die Terrasse. Zu essen und zu trinken hatten sie nichts mitgebracht, aber ich habe gesehen, dass sie beide ein Glas von Zita-Sybills Wein getrunken haben.

Hinterher hat Mama gesagt, na bitte, das ist doch schon mal ein Anfang. Aber durch Voisins Garten laufen dürfen wir trotzdem nicht.

Vor dem Einschlafen habe ich gedacht, dass man aber gar nicht wissen kann, ob wir das eines Tages nicht auch dürfen.

Durch das offene Fenster ist immer noch der Geruch nach Grillkohle und Würstchen gekommen, und dann habe ich Herrn Voisin lachen hören. Ich wusste gar nicht, dass er das kann.

Ich habe an den nächsten Tag gedacht und dass ich jetzt schon in die dritte Klasse komme. Da habe ich mich richtig ein bisschen auf die Schule gefreut.

5

Die Schule fängt wieder an,
und wir nähen Puppenkleider

Ich finde es auch immer schade, wenn die Ferien zu Ende sind.
Aber dass die Schule wieder anfängt, finde ich nicht schade.
Man trifft dann ja alle Freundinnen wieder, und sie erzählen,
was sie in den Ferien gemacht haben. Und in den Pausen spielen wir Eierlegen und Gummitwist. Darum gehe ich manchmal
ganz gerne zur Schule.

Auf meine Lehrerin habe ich mich auch gefreut. Tieneke und ich
gehen in dieselbe Klasse, und unsere Lehrerin ist sehr alt und
heißt Frau Streng. Aber sie ist überhaupt nicht streng! Sie ist
sogar sehr nett. Da müsste sie doch eigentlich Frau Nett heißen.
Tieneke hat das zu ihr gesagt, als wir neu in der Klasse waren,
und Frau Streng hat gesagt, vielen Dank für das Kompliment.
Aber dann hätte sie sich ja zum Heiraten einen Mann suchen
müssen, der Herr Nett heißt. Sie ist aber eigentlich immer noch
ganz zufrieden mit ihrem Mann. Auch wenn er Herr Streng
heißt.

Ich suche mir später meinen Mann auch nicht danach aus, wie
er heißt. Sondern danach, ob er nett ist.

Als ich das Tieneke erzählt habe, hat sie gesagt, das tut sie auch. Aber wenn einer »Mülltonne« heißt oder »Klopapier«, heiratet sie ihn trotzdem nicht.

Da musste ich ziemlich doll lachen, und dann haben wir eine Liste geschrieben mit all den Namen, die für uns zum Heiraten nicht infrage kommen: Mülltonne und Klopapier und Stinkmaus und Dickwanst und Essig.

Tieneke wollte auch keinen heiraten, der Lollorollopollo heißt oder Wuschipuschi. Aber ich habe gesagt, so heißt sowieso keiner. Das kann sie im Telefonbuch nachschlagen.

Tieneke hat gesagt, vielleicht hat einer, der so heißt, ja kein Telefon. Jedenfalls, wenn einer so heißt, heiratet sie den auch nicht, und ich habe gesagt, dass ich das auch nicht tue.

Uns sind immer noch mehr Namen eingefallen, wie wir auf keinen Fall heißen wollten. Unsere Liste ist immer länger geworden. Da habe ich richtig Angst gekriegt, ob es überhaupt genug

Männer gibt, die einen Namen haben, mit dem ich sie heiraten will.

Als ich Mama abends davon erzählt habe, hat sie gelacht und gesagt, dass ich eine dumme kleine Suse bin.

»Du kannst doch deinen Namen behalten, wenn du heiratest«, hat sie gesagt. »Wir leben doch nicht mehr im Mittelalter.«

Das hatte ich ganz vergessen und Tieneke auch. Aber es stimmt ja. Und es ist wirklich ein Glück. Dann kann man sich ja auch in einen mit einem blöden Namen verlieben.

Ich heirate später aber sowieso Vincent. Ich finde, er ist ziemlich nett, und klug ist er auch. Fritzi kann Laurin nehmen, und Jul und Tieneke müssen sich dann einigen, wer Petja haben will.

Jul hat gesagt, besten Dank, sie verzichtet freiwillig. Das habe ich gut gefunden. Wenn Tieneke Petja heiratet, ist meine beste Freundin auch gleich noch mit mir verwandt.

Eigentlich wollte ich aber ja vom ersten Schultag erzählen.

Tieneke und ich haben uns in den Ferien im Einkaufszentrum beide ein türkises Top gekauft, das war runtergesetzt und hat nur sechs Euro gekostet. Das haben wir am ersten Schultag angezogen, und da sahen wir ganz genau gleich aus. Bis auf die Haare natürlich. Meine sind ja dunkel, und Tienekes sind blond.

Vor den Ferien sind wir Kinder aus dem Möwenweg immer alle zusammen zur Schule gegangen (Maus nicht, der ist noch zu klein), aber jetzt waren Petja und Vincent und Jul ja schon in der Fünften, und darum mussten sie mit dem Bus zu ihren neuen Schulen fahren. Und sowieso hatten sie noch eine Woche länger Ferien als wir, das hab ich ziemlich ungerecht gefunden.

Es sind also nur noch Tieneke und Fritzi und Laurin und ich zusammen gegangen. Da sind Tieneke und ich jetzt die Großen. Laurin hat gesagt, dass Fritzi und er aber auch keine Erste-Klasse-Nuckelflaschen mehr sind.

Fritzi hat erzählt, dass ihre Klasse schon vor den Ferien geübt hat, was sie zur Einschulung aufführen wollen. Wenn die neuen Erste-Klasse-Nuckelflaschen kommen, führen die zweiten Klassen ja immer was für sie vor.

»Ich will das vielleicht gar nicht!«, hat Fritzi gejammert. »Wo so viele zugucken!«

Tieneke und ich haben gesagt, vielleicht muss sie ja einfach nur beim Tanzen mitmachen. Da hüpfen alle Kinder nur auf der Bühne im Kreis und halten sich an den Händen und singen: »Es war einmal ein kleiner Hund.« Das haben wir früher auch schon vorgeführt.

Fritzi hat gesagt, vor dem Tanzen hat sie keine Angst. Nur wenn sie ein Gedicht aufsagen muss.

Bevor wir zu unserem Aufstellplatz gekommen sind, haben Tieneke und ich uns noch schnell eine Schokozigarette in den Mundwinkel geklemmt. Die hatten wir extra aufgehoben, um Frau Streng zu erschrecken.

Und das hat auch wirklich geklappt! Als Frau Streng uns gesehen hat, hat sie die Hände zusammengeschlagen und ganz erschrocken gesagt: »Tara und Tieneke! Ihr habt doch wohl in den Ferien nicht angefangen zu rauchen?«

Da haben die anderen Kinder alle gelacht, und wir haben Frau Streng gezeigt, dass die Zigaretten nur aus Schokolade waren.

»Na, da bin ich aber erleichtert!«, hat sie gesagt. »Eure Lehrerin gleich am Anfang so zu verkohlen!«

Ich weiß aber nicht, ob sie nicht vielleicht schon vorher gemerkt hatte, dass unsere Zigaretten nicht ganz echt waren. Es
kam ja kein Rauch raus.

Dann hat uns Frau Streng erzählt, dass sie mit ihrem Mann
einen wunderschönen Wanderurlaub in den Bergen gemacht
hatte, und eines Morgens waren Herr Streng und sie aufgewacht, und da hatte es geschneit. Man stelle sich vor! Mitten im
Sommer!

»Ich hätte euch ja gerne ein bisschen Schnee für eine Schnee-
ballschlacht mitgebracht«, hat Frau Streng gesagt, und wir haben alle geschrien: »O ja, bitte!«

Aber das war natürlich Quatsch. Schnee kann man ja nicht im
Auto mitbringen.

Dann durften wir alle erzählen, was wir in den Ferien gemacht
hatten, und dann sollten wir ein Bild malen. Da wusste ich gar
nicht, was ich malen sollte. Wir haben in den Ferien ja so viel
erlebt.

Tieneke hat natürlich gemalt, wie sie Puschelchen und Wuschelchen gekriegt hat. Ich wollte zuerst unser Sommer-Garagenfest malen, aber dann habe ich doch lieber ausgesucht, wie wir Kinder alle mit Michael im Badesee gebadet haben.

Ich habe an meinen Kopf (auf dem Bild) eine Sprechblase drangemalt mit: »Hilfe! Petja und Vincent sind ertrunken!«, und Frau Streng ist gekommen und hat gesagt, na, hoffentlich ist das eine ausgedachte Geschichte.

Ich habe ihr erzählt, dass die beiden uns nur reingelegt hatten. Frau Streng hat gesagt, dass sie mein Bild sehr schön findet.

Richtig gelernt haben wir am ersten Schultag nichts. Es reicht erst mal, wenn wir uns wieder eingewöhnen, hat Frau Streng gesagt. Das war doch nett von ihr.

Als wir nach Hause gegangen sind, haben wir auf Fritzi und Laurin gewartet. Sie hatten am ersten Tag auch noch nicht gerechnet und geschrieben, aber Fritzi hat erzählt, dass sie die ganze Zeit für die Aufführung bei der Einschulung geübt hatten.

»Und ich muss das Gedicht vom Zauberer aufsagen!«, hat Fritzi gejammert.

Sie hat fast geweint, dabei ist es ein sehr lustiges Gedicht vom Zauberer Kori-Kora-Korinthe. Und sie musste auch nicht das ganze aufsagen, nur den Anfang, der geht:

Es lebte einst der Zauberer
Kori-Kora-Korinthe.
Der saß in einem Tintenfass
Und zauberte mit Tinte.

So schwer ist das ja gar nicht. Aber wenn man erst sieben ist, hat man vielleicht doch Angst, wenn alle Leute einen anstarren. Fritzi hat gesagt, dass alle Kinder, die das Gedicht aufsagen, einen Zaubererhut aufhaben müssen. Den sollen sie sich zu Hause selber basteln.

Und das war ja wirklich nicht schwer! Das weiß man doch vom Fasching, dass man nur einfach ein bisschen Stoff um eine alte Schultüte kleben muss. Zum Glück hatte Fritzi ihre Schultüte aufgehoben.

Tieneke und ich haben gesagt, dass wir Fritzi beim Basteln helfen können. Jul musste nämlich an dem Nachmittag mit ihrer Mutter zum Kieferorthopäden.

Mama hat im Keller einen Karton, darin sind lauter Stoffreste. Unsere Gardinen hat Mama ja alle selber genäht, und die Faschingskostüme näht sie uns auch immer. Wo wir früher gewohnt haben, hab ich sogar mal den ersten Preis für das schönste Kostüm gekriegt. Ich war ein Tiger.

Es war noch ziemlich viel Tüll in Mamas Karton und pinker Glitzerstoff auch. Den hatte Mama mal für ein Prinzessinnenkostüm gebraucht. Wir haben ihn um die Tüte rumgeklebt, damit man die kleinen Bilder nicht mehr sehen konnte, die dadrauf waren: Schulranzen und Federtaschen und Lineale. Für einen Zaubererhut passt das ja nicht so gut.

Ganz hat der Glitzerstoff nicht gereicht, darum mussten wir auch noch ein bisschen von dem Jeans-Stoff nehmen, den Mama immer für Knieflicken aufbewahrt. Es hat aber nicht gestört.

Zuletzt haben wir oben noch flimseligen Tüll drangeklebt. Dabei musste Mama uns helfen. Aber hinterher sah der Hut auch richtig schön aus.

45

»Wie ein echter Zaubererhut!«, hat Tieneke gesagt.

»Zauber*innen*hut!«, hab ich gesagt. Weil er doch pink war. Und Fritzi ist ja auch ein Mädchen.

Als wir vorher in Mamas Karton nach Hutstoff gesucht hatten, hatte ich eine Idee gehabt.

»Dürfen wir die Nähmaschine ausleihen, Mama?«, hab ich gefragt.

Und Mama hat gesagt, dass wir dürfen.

»Aber wollt ihr das nicht lieber mal im Herbst machen?«, hat sie gefragt. »Wenn es regnet? Bei so schönem Wetter wie heute solltet ihr vielleicht lieber draußen spielen.«

Wir konnten aber mit dem Nähen nicht bis zum Herbst warten. Mama hat also die Nähmaschine aus dem Keller hochgetragen, und Tieneke und Fritzi und ich haben uns die hübschesten Stoffreste aus dem Karton ausgesucht.

Dann habe ich meine Lieblingspuppe Lotta aus meinem Bett geholt. Ich wollte nämlich ein Kleid für Lotta nähen.

Tieneke hat Laura-Katharina geholt und Fritzi ihre alte Poffelpuppe, die war sowieso nackt.

Dann hat Mama uns noch ihre große Schneiderschere gegeben und mich gefragt, ob ich mich daran erinnern kann, wie man näht.

Ich konnte mich natürlich erinnern. Ich habe Mama ja schon tausendmal dabei geholfen.

Aber man stelle sich vor, Fritzi und Tieneke wussten überhaupt nicht, wie eine Nähmaschine funktioniert! Da musste ich ihnen erst zeigen, wie man den Stoff unter die Nadel legt und ihn festklemmt und wie man den Faden einfädelt. (Das ist schwierig.) Und wie man richtig auf das Pedal tritt, damit der Stoff nicht zu schnell lossaust, hab ich ihnen auch gezeigt.

Wir haben die Kleider genäht, und sie sind wirklich schön geworden. Lottas Kleid ist gelb mit schmalen weißen Streifen, und Laura-Katharinas Kleid hat kleine rot-weiße Karos, weil der Stoff früher in unserer Babywiege war. Poffelpuppe hat ein geblümtes Kleid gekriegt.

Zuerst haben wir immer zwei Stoffstücke aufeinandergelegt, und dann haben wir ein Kleid ausgeschnitten, ich zeig das mal:

So sah das dann aus. Beim Zusammennähen muss man sehr aufpassen, dass man oben ein Loch für den Kopf lässt und unten eins für die Beine. Und an jeder Seite eins für die Arme.

Fritzi hat zuerst einmal ganz rumgenäht, da konnte sie Poffelpuppe das Kleid natürlich nicht anziehen und hat fast geweint.

Aber sie durfte sich noch ein Stück Stoff nehmen, und jetzt wusste sie ja, wie sie es machen musste. Da ist es auch schön geworden.

Mama hat gesagt, na, eigentlich hätten wir noch den Halsausschnitt und die Ärmel und den unteren Saum umnähen müssen. Und die Nähte versäubern. Wenn sie mal viel Zeit hat, zeigt sie uns, wie das geht.

Uns haben die Puppenkleider aber auch so gefallen.

Ich wollte Lotta gerade ihr neues Kleid anziehen (ich musste den Halsausschnitt leider wieder ein bisschen aufschneiden, weil der Kopf nicht durchgepasst hat), da sind Petja und Vincent reingetobt gekommen, weil sie Durst hatten.

»Geil!«, hat Petja geschrien. »Wieso dürft ihr das?«

Ich habe gesagt, weil wir es können. Und weil Mama weiß, dass auf mich Verlass ist.

»Auf mich etwa nicht?«, hat Petja gesagt. Dann hat er sofort angefangen, in Mamas Stoffresten zu kramen.

»Was willst du denn überhaupt nähen?«, hab ich gefragt. »Einen neuen Judoanzug?«

Da mussten Tieneke und ich lachen, weil wir uns vorgestellt haben, wie Petja wohl mit einem selbst genähten Judoanzug aussieht. Aus Blümchenstoff! So sind Mamas Stoffreste ja.

Aber Petja ist nicht mal wütend geworden. Er ist nach oben geflitzt und hat seinen Kuschelteddy geholt.

»Weg da!«, hat er gerufen. »Jetzt kommt der Meisterschneider!«

Das war er aber bestimmt nicht. Aber viel schlechter als wir konnte er auch nicht nähen.

Vincent hat gefragt, ob er auch darf, und dann hat er von sich zu Hause sein Nilpferd geholt, das hatte er von seiner Oma zur Geburt gekriegt. Dem hat er ein oranges T-Shirt genäht. (Eigentlich sah es aus wie ein Kleid. Aber Vincent hat gesagt, sein Nilpferd ist ein Junge. Da trägt das ja wohl keine Kleider.)

Wir waren alle sehr zufrieden mit unseren genähten Sachen, und Vincent hat gesagt, jetzt machen wir ein Gruppenfoto für die Puppenmodenzeitschrift. So was gibt es in echt natürlich gar nicht. Aber Vincent hat trotzdem seinen Fotoapparat geholt, und dann haben wir Lotta und Laura-Katharina und Poffelpuppe und Petjas Kuschelbären und Vincents Nilpferd mit ihren neuen Sachen im Garten in eine Reihe gesetzt, und Vincent hat sie fotografiert.

Sie sahen so niedlich aus, wie sie da im Gras gesessen haben, als ob sie gerade einen Puppengeburtstag feiern. Dann haben wir die Puppen (und die Tiere) noch zu Puschelchen und Wuschelchen in den Auslauf gesetzt und noch mal fotografiert.

Puschelchen und Wuschelchen waren ganz aufgeregt und haben immer an ihnen geschnuppert. Vor allem an Lotta. Ich glaube, Lotta mochten sie am liebsten.

Tieneke hat gesagt, beim nächsten Mal näht sie kleine Mäntel für Puschelchen und Wuschelchen. Für den Winter.

Die Jungs sind dann wieder spielen gegangen, und wir haben Mama geholfen, die Nähsachen wegzuräumen. Ich habe gedacht, dass ich später vielleicht mal Schneiderin werden will. Es macht so viel Spaß, wenn man zuerst nur den Stoff hat und nachher ist es ein richtiges Kleid.

Am Abend haben Petja und ich Papa gezeigt, was wir genäht hatten. Er hat gesagt, dann braucht er sich in Zukunft ja keine teuren Klamotten mehr zu kaufen, wenn er zwei so tolle Näher in der Familie hat. Als Nächstes sollen wir ihm bitte ein hellblaues Hemd nähen, das wollte er schon lange haben.

»Da kann ich ja viel Geld sparen!«, hat er gesagt.

Das hat er aber natürlich nicht ernst gemeint. Wenn er das Hemd zur Arbeit anziehen will, müssen ja Säume dran sein. Und das können Petja und ich noch nicht so gut.

Übrigens hat Fritzi sich zwei Tage später bei der Einschulungsfeier beim Gedichtaufsagen keinmal versprochen, das hat sie uns auf dem Nachhauseweg erzählt. Einem anderen Mädchen ist sein Zaubererhut runtergefallen, und es musste weinen. Aber sonst ist alles gut gelaufen.

Fritzi hat gesagt, sie freut sich, dass sie jetzt auch groß ist und kein Erste-Klasse-Baby mehr.

Richtig groß ist sie aber ja noch nicht. Richtig groß ist man eigentlich erst, wenn man in die Dritte geht wie Tieneke und ich.

Das habe ich Fritzi aber nicht gesagt.

6

Beim Sommerfest habe ich schrecklich viel Glück

Habe ich schon erzählt, dass wir im Möwenweg immer so viel feiern? Nicht nur Sommerferienabschlusstrostgrillfeste.
Wir haben auch schon ein Garagenplatzfest gefeiert und ein Zaunfest und ein Gewitterfest, und ich weiß überhaupt gar nicht, was noch alles für Feste. Man kann ja aus allem ein Fest machen, wenn man will, sagt Michael. Und das wollen wir auch. Aber wir hatten gar nicht gewusst, dass auch in unserem Ort manchmal gefeiert wird! Wir wohnen ja noch nicht so lange da. Wir haben uns aber sehr gefreut, als wir überall die Plakate gesehen haben, dass am ersten Wochenende nach den Ferien ein großes Sommerfest stattfinden soll.
Wir sind alle sehr gespannt gewesen. Das Fest sollte in der Sportanlage sein, und Tieneke und Fritzi und Jul und ich wollten zusammen hingehen. Darum haben wir uns für zwei Uhr mittags verabredet.
Als wir am Sportplatz angekommen sind, mussten wir nicht mal Eintritt bezahlen. Wir hatten nämlich am Tag vorher beim Bäcker für uns alle Kindercoupons gekauft. Das waren so große Karten aus Pappe, da waren lauter Vierecke mit Sachen drauf-

gezeichnet, die man machen konnte: Schubkarrenwettrennen und Luftballon-Steigenlassen und einmal mit der Feuerwehr fahren und Mülltonnenrennen. Ein Würstchen konnte man sich auch holen, ohne zu bezahlen, und eine Trinktüte. Die Karten hatten ein Band, damit man sie sich um den Hals hängen konnte.

Jul hat aber gesagt, das macht sie nicht, da sieht sie ja aus wie ein Baby. Tieneke und ich haben unsere Karten trotzdem umgehängt. Es ist ja viel praktischer so. Man hat dann beide Hände frei zum Sachenmachen.

Als wir auf den Platz gekommen sind, hat die Feuerwehrkapelle gerade den Begrüßungsmarsch gespielt. Wir haben ein bisschen zugehört, aber dann ist es uns langweilig geworden. Wir wollten lieber gucken, welche Spiele es gab und welche Stände.

Und das waren wirklich eine Menge! Der Sportplatz hat gar nicht mehr ausgesehen wie der Sportplatz, auf dem wir mit Frau Streng manchmal 50-Meter-Lauf machen oder Weitwurf (ich kann leider nicht sehr weit werfen).

In der Mitte stand ein großes Zelt, da haben alte Frauen Kaffee und Kuchen verkauft, und das Geld war eine Spende für einen guten Zweck. Ich weiß aber nicht, wofür. Ich glaube, für arme Menschen, die nichts zu essen haben oder wo gerade ein Erdbeben war.

Darum haben alle Leute viel Kuchen gegessen, weil sie den armen Menschen helfen wollten.

Es gab auch Flohmarktstände, an denen man alte Bücher kaufen konnte und altes Spielzeug und altes Geschirr. Tieneke hat ein bisschen bei den Spielsachen gesucht, aber ich nicht. Ich habe nämlich auf dem Flohmarkt mal ein Puzzle gekauft, bei dem hat nachher ein Teil gefehlt. So was ist ja Beschummel.

Aber Tieneke hat gesagt, bei einem Schlüsselanhänger kann das schließlich nicht passieren. Sie hat sich einen Schlüsselanhänger gekauft. Tieneke findet Schlüsselanhänger gut.

Wir sind dann ganz schnell auf die Seite gegangen, wo die Kinderspiele aufgebaut waren, und man kann gar nicht glauben, wie viele es davon gab. Sogar noch mehr als auf unseren Kindercoupons! Die waren dann gratis.

Am Feuerwehrstand haben wir die Jungs getroffen. Von einem Feuerwehrmann hat man einen echten Feuerwehrschlauch gekriegt, und damit musste man auf ein Haus spritzen, da waren Flammen draufgemalt. Wenn man gut getroffen hat, sind die Flammen nach hinten weggekippt, und man hat eine Urkunde gekriegt, dass man jetzt Brandmeister ist. Das war aber natürlich nicht echt.

Laurin hat drei Flammen umgespritzt und Vincent fünf und Petja sogar neun. Der Feuerwehrmann hat gesagt, Petja soll sich doch mal überlegen, ob er nicht bei der Jugendfeuerwehr mitmachen will. Da war Petja so stolz, dass er den ganzen Nachmittag von nichts anderem mehr geredet hat. Er hat wohl gedacht, wenn man Holzflammen umspritzen kann, kann man auch echte Häuser löschen. Ich glaube aber, das ist viel schwieriger.

Petja hat gefragt, ob er noch mal spritzen darf, aber der Feuerwehrmann hatte auf seiner Karte das Viereck mit der Feuerspritze drauf ja schon gelocht. Darum konnte Petja nur noch zugucken, wie wir Mädchen dran waren.

Ich weiß nicht mehr, wie viele Flammen Fritzi geschafft hat, aber es waren nicht sehr viele. Tieneke hatte sechs, und Jul hatte acht. Und ich hatte zehn! Mehr Flammen konnte man überhaupt gar nicht umspritzen. Da hatte ich sogar eine mehr geschafft als Petja.

Auf meiner Urkunde stand, dass ich *Ober*brandmeister bin, und der Feuerwehrmann hat gesagt, wenn ich noch ein bisschen älter bin, kann ich auch bei der Jugendfeuerwehr mitmachen.

Da hat Petja ganz maulig geguckt. Bestimmt hat er sich geärgert, dass ich ein besserer Feuerwehrmann war als er. Er denkt ja immer, Mädchen können gar nichts.

Als Nächstes wollten wir gerne zum Ponyreiten, aber da war die Schlange so lang, und Jul hat gesagt, wir lassen es lieber. Später ist bestimmt weniger los.

Darum sind wir zum Fadenziehen gegangen (ich kann jetzt nicht erklären, was das ist, aber ich habe einen Schokoriegel gezogen und Fritzi einen Salmilolli. Tieneke und Jul hatten gar nichts).

Neben dem Fadenzieh-Stand war das Mülltonnenrennen aufgebaut, und ich habe gleich gewusst, dass ich das fast am lustigsten finde. Es gab fünf große graue Plastikmülltonnen mit Rädern, und man musste immer zu zweit eine Mannschaft sein. Einer von jeder Mannschaft musste sich in die Tonne setzen, und der andere musste sie am Griff festhalten. Dann hat eine Frau »Auf die Plätze – fertig – los!« geschrien, und man musste bis zu einem Kreidestrich rennen. Da mussten der Sitzer und der Zieher tauschen, und dann musste man zurückrennen bis zum Start.

Tieneke und ich wollten gleich eine Mannschaft sein, aber Jul hat gesagt, sie will nicht mit Fritzi.

»Die ist doch viel zu schwach!«, hat sie gesagt. »Die kann mich doch niemals schnell genug ziehen!«

»Dafür ist sie aber auch leicht, wenn sie in der Tonne sitzt«, habe ich gesagt. »Das ist doch gut.«

Tieneke hat gesagt, außerdem ist es gerecht, wenn Fritzi und

Jul zusammen rennen und sie und ich. Fritzi und Jul sind zusammen siebzehn Jahre alt (zehn plus sieben) und Tieneke und ich sind sechzehn (acht plus acht). Und wenn Jul mit einer von uns laufen würde, wäre eine Mannschaft ja achtzehn (zehn plus acht) und die andere wäre nur fünfzehn (acht plus sieben).

Fritzi hat gefragt, wieso. Sie kann ja noch nicht so schnell rechnen. Aber ich fand es babyeierleicht.

»Na gut«, hat Jul gesagt.

Fritzi und Jul sind in der Bahn ganz außen gerannt und Tieneke und ich in der daneben. Dann kamen zwei kleine Kindergartenbabys, denen musste ihre Mutter noch helfen (darum hat es eigentlich nicht gegolten), und in der nächsten Bahn war ein Vater mit seiner Tochter. Die letzte Bahn war leer.

Aber gerade als die Frau ihre Arme so hochnehmen und »Auf die Plätze – fertig – los!« rufen wollte, sind Vincent und Petja und Laurin angeschnauft gekommen.

»Möchtet ihr auch noch?«, hat die Frau gefragt.

Da war Vincent schon in die Tonne geklettert, und Petja hat den Griff genommen.

Laurin hat immer »Und ich? Und ich?« geschrien, aber sie haben getan, als ob sie ihn nicht hören.

Als die Frau in die Hände geklatscht hat, bin ich gleich losgerannt, aber natürlich war Jul in der Bahn neben mir schneller. Sie ist ja auch zwei Jahre älter.

Ich hab mich aber trotzdem sehr angestrengt, und als wir beim Kreidestrich angekommen sind, hat Fritzi schon versucht, aus der Tonne zu klettern. Sie ist aber nicht rausgekommen, weil Mülltonnen doch so hoch sind und von innen ganz glatt.

»Nun komm schon!«, hat Jul geschrien. »Nie machst du irgendwas richtig!«

Dabei war es doch Jul, die den Fehler gemacht hat! Man muss die Tonne ja nur einfach umkippen, dann kann der Sitzer ganz leicht rausklettern und der Zieher rein.

So haben Tieneke und ich es gemacht, und da hatten wir einen Vorsprung.

Sogar vor den Jungs auf der Bahn ganz hinten! Die waren nämlich viel zu albern. Petja ist Schlangenlinien gefahren, und die Tonne ist umgekippt. Vincent hat »Manno! Aua!« gebrüllt, und dann wollten sie sich totlachen.

Da sind sie fast als Letzte ins Ziel gekommen. Tieneke und ich sind Sieger geworden, und wir haben beide eine orange Urkunde gekriegt, auf der »1. Platz« stand.

Fritzi und Jul haben die grüne mit »2. Platz« gekriegt, weil die Jungs doch so albern gewesen waren. Aber Petja hat gesagt, wer will schon Sieger in einem Mülltonnenrennen sein. Das ist ja peinlich.

Tieneke und ich wollten aber gerne Sieger sein. Die Jungs haben sich bestimmt nur geärgert, dass wir besser waren als sie.

Die beiden Babys in der Bahn neben uns sind als Allerletzte ins Ziel gekommen, weil die Mutter ihnen ja immer helfen musste. Sie waren aber trotzdem ganz stolz auf ihre Urkunde.

Die Schlange an der Schokokuss-Wurfmaschine war ziemlich lang, aber das war uns egal. Ich finde, Schokokuss-Wurfmaschinen sind fast das Beste, was es gibt, und wenn ich erwachsen bin, baue ich eine für meine Kinder. Die können wir dann immer am Kindergeburtstag nehmen. Da brauchen wir gar keine anderen Spiele mehr und Kaffeetrinken auch nicht. Weil doch alle satt sind von den Schokoküssen.

Bei manchen Wurfmaschinen darf man die Schokoküsse mit den Händen fangen, und manchmal muss man mit dem Mund. Das ist ja viel schwieriger.

Bei unserem Sommerfest durften die Kinder mit den gelben Coupons (das war bis neun Jahre) die Hände nehmen, und die mit den roten (das war ab zehn) mussten mit dem Mund.

»Das finde ich total ungerecht!«, hat Jul gesagt. (Sie ist ja schon zehn.)

Aber Tieneke und ich fanden das nicht.

Die Wurfmaschine war ein dicker Bäcker aus Holz, und wenn man den mit einem Tennisball am Bauch getroffen hat, hat ein Brett den Schokokuss losgeschleudert.

Ich konnte meinen ganz leicht fangen. Nur meine Hände waren hinterher backsig. Die hab ich aber einfach abgeleckt.

Tieneke hat ihren Schokokuss beim Auffangen halb zerquetscht. Da war er nur noch Schokokuss-Mus. Er hat aber trotzdem geschmeckt, hat sie gesagt.

Dann ist Jul dran gewesen, und sie hat ihren Mund ganz weit aufgerissen.

Sie konnte den Schokokuss wirklich schnappen! Nur um den Mund herum war sie ein bisschen weiß und schokoladig. »A-hahaha!«, hat Petja geschrien. »Wie du aussiehst!«

Das hätte er aber vielleicht nicht sagen sollen. Er hat nämlich hinterher noch viel, viel verschmierter ausgesehen. Als der Schokokuss angeflogen kam, ist Petja ganz wild nach vorne gesprungen, und da hat der Schokokuss ihn mitten auf der Stirn getroffen!

»Volltreffer!«, hat Vincent geschrien.

Petja hat natürlich gesagt, dass er das mit Absicht gemacht hat. »Kopfball«, hat er gesagt. Dann hat er den Schokokuss vom Boden aufgehoben und gegessen. Mit dem ganzen Sand und Gras dran und allem.

»Sand reinigt den Magen«, hat er gesagt.

Eigentlich wollte ich noch bei Vincent und Laurin zugucken, aber da habe ich plötzlich Mama und Papa beim Kuchenzelt gesehen. Jul sagt, es heißt nicht Kuchenzelt, es heißt Fresszelt. Ich bin ganz schnell hingerannt und habe ihnen meine Urkunden gezeigt.

»Das ist ja wohl nicht wahr!«, hat Mama gerufen. »Oberbrandmeister bei der Feuerwehr und erster Platz im Mülltonnenrennen! Was ich für eine tolle Tochter habe! Heute ist wohl dein Glückstag!«

Darum hat es ihr auch nichts ausgemacht, dass sie die Urkunden für mich tragen musste. Es ist toll, wenn man überall eine Urkunde kriegt, aber wenn man sie hinterher die ganze Zeit mit sich rumschleppen soll, ist es blöde. Urkunden kriegen auch so leicht Flecken und Knicke.

Mama und Papa haben gefragt, ob sie uns zu einem Kuchen einladen können, aber wir hatten ja noch den Coupon für unser Würstchen. Und Hunger hatten wir sowieso noch überhaupt nicht. Wir mussten ja noch so schrecklich viel machen.

7

Es ist schön, wenn es immer so schön ist

Zuerst sind wir mit einem echten Feuerwehrauto einmal fast durch den ganzen Ort gefahren. Das Auto war vollgequetscht mit Kindern, und der Feuerwehrmann am Steuer hat gesagt, dass wir uns alle gut festhalten sollen. Nicht, dass es noch einen Unfall gibt und er die Feuerwehr rufen muss!
Da mussten wir alle lachen, weil wir ja selber die Feuerwehr waren.
Als der Ort zu Ende war, ist der Feuerwehrmann ein kleines Stück in die Felder gefahren. Dann hat er »Ohren zuhalten!« gerufen, und dann hat er die Sirene angemacht. Nur ganz kurz. Weil er das eigentlich gar nicht darf, wenn kein Einsatz ist, hat er gesagt.
Wir fanden es aber auch ganz kurz gut. Natürlich haben wir uns nicht die Ohren zugehalten. Die Sirene war ziemlich laut. Vielleicht gehe ich später wirklich zur Feuerwehr.
Die Schlange beim Ponyreiten war immer noch nicht kürzer geworden, darum sind wir zum Schubkarrenwettrennen gegangen. Da waren wieder so Bahnen eingeteilt wie beim Mülltonnenrennen, und in jeder Bahn stand eine leere Schubkarre und

eine Mülltonne voller Luftballons. Zuerst musste man alle Luftballons aus der Tonne auf die Schubkarre laden, und dann musste man zum Ziel rennen. Wenn ein Luftballon runtergefallen ist, musste man ihn wieder aufsammeln und auf die Schubkarre zurückpacken. Dabei sind auch manche geplatzt.

Jul hat gesagt, sie ist heute schon genug gerannt, vielen Dank, aber Fritzi und Tieneke und ich wollten unbedingt mitmachen. Ich hab nämlich gedacht, wenn doch heute mein Glückstag ist, gewinne ich bestimmt wieder.

Ein alter Mann hat »Auf die Plätze – fertig« geschrien, und dann hat er in eine Trillerpfeife geblasen. Das sollte »Los!« heißen, und ich hab mir meine Schubkarre geschnappt und bin losgerannt wie der Blitz.

Zuerst hab ich gar nicht so richtig gemerkt, dass alle gelacht haben, aber dann ist plötzlich eine Stimme aus dem Lautsprecher gekommen.

»Die junge Dame in der gelben Hose!«, hat der alte Mann gerufen. »Wo sind denn deine Ballons? Die ganze Abteilung noch mal kehrt, marsch, marsch!«

Da hab ich überhaupt erst gemerkt, dass ich ganz vergessen hatte, die Luftballons auf meine Karre zu packen! Und jetzt konnten alle Leute durch den Lautsprecher hören, dass ich es falsch gemacht hatte!

Ich hab aber nicht geweint. Ich bin noch mal zurückgelaufen und hab die Luftballons eingeladen. Einer ist mir zerplatzt.

Leider bin ich Letzte geworden.

Hochgucken mochte ich auch nicht, weil ich gedacht habe, dass jetzt alle über mich lachen.

Aber die Jungs waren zum Glück irgendwo ganz anders. Und Tieneke ist Erste geworden. Als sie ihre Urkunde gekriegt hat, ist sie zu mir gekommen und hat mich getröstet.

»Das kann doch jedem mal passieren!«, hat sie gesagt. »Ist doch egal! Du warst doch vorher so gut!«

War das nicht lieb von ihr? Aber sie ist ja auch meine allerbeste Freundin. Da muss sie mich auch trösten, finde ich. Und ich sie.

Die Schlange bei den Ponys war immer noch so lang, darum haben wir uns erst mal unser Würstchen und unsere Trinktüten geholt und uns ins Gras gesetzt und gegessen. Ich finde, dass alles

viel besser schmeckt, wenn man es draußen auf einem Fest isst. Tieneke hat gesagt, das findet sie auch.

Wir haben dann noch eine kleine Kutschfahrt gemacht, weil die Kutschfahrt auf unserer Karte das vorvorletzte Viereck ohne

Loch war. Die letzten beiden waren Ponyreiten und Luftballon-Steigenlassen.

Als wir von der Kutschfahrt zurückgekommen sind, mussten wir erst alle noch ein bisschen das Pferd streicheln und Gras pflücken und es füttern. Das Pferd hieß Goldi.

»Jetzt kommt aber mal!«, hat Jul gesagt. »Jetzt will ich endlich reiten!«

Und man stelle sich vor, als wir zu der Stelle gekommen sind, wo vorher die ganze Zeit das Pony gewesen war, gab es tatsächlich überhaupt keine Schlange mehr. Aber auch kein Pony.

»Manno!«, hat Fritzi geschrien.

Eine Frau hat die Pferdeäpfel auf eine Karre geschaufelt und gesagt, dass das Ponyreiten leider zu Ende ist. So ein kleines Pony kann ja nicht den ganzen Tag arbeiten.

Da war ich ziemlich wütend auf Jul, weil sie doch gesagt hatte, dass wir warten sollten, bis die Schlange kürzer wird. Also war sie doch eigentlich schuld, dass wir jetzt nicht reiten konnten. Daran konnte sie sich aber nicht mehr erinnern. Da hätten wir uns fast gestritten.

Aber dann sind wir doch lieber zum Stand mit den Luftballons gegangen. Wir konnten uns eine Karte nehmen, auf die mussten wir unsere Namen schreiben und unsere Adressen. (Für die kleinen Kinder haben das die Eltern gemacht.) Vorne auf der Karte war ein Foto von einem blauen Auto, und darüber stand in weißer Schrift: »Gruß vom Sommerfest! Autohaus Böse, Ihr Partner am Ort«.

Ich hätte lieber eine hübschere Karte an meinem Ballon gehabt, aber es gab nur die mit den Autos. Darum habe ich wenigstens in meiner allerschönsten Schrift geschrieben und noch eine Girlande aus so winzig, winzig kleinen Blümchen außen drumrum gemalt. Leider nur mit Kugelschreiber.

Fritzi hat sich einen gelben Ballon ausgesucht und Jul einen roten. Tieneke und ich haben uns einen blauen genommen.

Ein Mann hat die Ballons an einer Gasflasche aufgeblasen und unsere Karten angeknotet. Dann sind wir genau in die Mitte vom Sportplatz gelaufen und haben unsere Arme ganz hoch gehalten.

»Flieg, kleiner Ballon, flieg nach Afrika!«, hab ich gesagt. Dann hab ich ihn losgelassen.

»Flieg, kleiner Ballon, flieg nach Amerika!«, hat Tieneke gesagt.

Jul hat gesagt, dass wir albern sind.

»So weit fliegen die nie!«, hat
sie gesagt. »Die platzen vorher.
Höchstens bis zur Ostsee.«
Gerade als Jul ihren Ballon losgelassen hat, sind die Jungs gekommen.

»Geil!«, hat Petja geschrien.
»Los, Vincent, wir machen eine
kleine Flugreise! Wir hängen
uns selber dran!«
Das geht aber nicht, das weiß
ich. Auf dem Jahrmarkt stehen
immer Männer, die verkaufen
Gasballons. Und darum haben
sie mindestens 100 Stück in der
Hand. Und noch nicht mal mit

hundert Ballons fliegen sie weg! Da kann Petja ja wohl nicht mit einem einzigen fliegen.

Weil alle Abschnitte auf unseren Karten abgeknipst waren, sind wir losgegangen und haben unsere Eltern gesucht.

Die haben alle zusammen an einem langen, schmalen Tisch auf so schmalen Bänken gesessen und sich unterhalten. Sogar Zita-Sybill! Und Oma und Opa Kleefeld waren auch da.

»Hunger!«, hat Petja gesagt und Papa seine Hand hingestreckt. Das sollte bedeuten, dass er Geld für einen Hot Dog wollte.

»Ihr esst mir noch die Haare vom Kopf!«, hat Papa gesagt. Dabei hat er sowieso schon nicht mehr so viele Haare. Aber er hat Petja und mir trotzdem Geld gegeben, damit wir uns etwas zu essen kaufen konnten. Und auch etwas zu trinken.

Wir mussten nur Maus mitnehmen. Maus kann ja noch nicht alleine einkaufen.

Die anderen durften sich auch alle einen Hot Dog kaufen, und dann haben wir uns neben dem Tisch ins Gras gesetzt und gegessen und getrunken, und es war ganz genauso gemütlich, wie es das bei uns bei Festen ja immer ist.

Plötzlich habe ich gehört, wie jemand Gitarre gespielt und gesungen hat. Es kam von ziemlich weit weg, wo auf der anderen Seite vom Sportplatz die großen Bäume stehen. Da hab ich Mama ganz schnell den Rest von meinem Hot Dog gegeben, und dann sind wir alle zu der Musik hingerannt.

Und da waren es die Pfadfinder! Sie hatten ein großes schwarzes Zelt aufgebaut mit einem Loch oben drin, damit der Rauch abziehen konnte. Weil sie mitten im Zelt nämlich ein Lagerfeuer gemacht haben, und um das Feuer herum haben sie gesessen und Pfadfinder-Lieder gesungen.

Zuerst haben wir uns nicht getraut, ins Zelt zu gehen, aber ein großes Mädchen hat uns gewunken, dass wir reinkommen sollten.

»Möchtet ihr Tschai?«, hat sie gefragt.

Das Wort hat so geheimnisvoll geklungen, aber auch gut, und ich habe Ja gesagt und Tieneke auch. Da haben wir einen Becher mit etwas Heißem gekriegt, das hat geschmeckt wie Tee, aber eigentlich auch wieder nicht.

Vom Feuer war mir ganz, ganz warm. Wir haben gesungen und Tschai getrunken, und draußen ist es schon fast dunkel geworden.

»Pfadfinder können wir auch noch werden«, hat Tieneke geflüstert. »Oder, Tari?«

»Pfadfinder und Feuerwehr«, hab ich zurückgeflüstert.

Und ich hab meinen Tschai getrunken und gedacht, wie schön es ist, wenn es immer so schön ist und wenn man weiß, dass noch ganz viel mehr Schönes kommt.

Das weiß ich nämlich. Tieneke sagt, sie weiß das auch.

8

Frau Streng hat eine gute Idee

Als wir am Sonntagmorgen aufgewacht sind, hat es geregnet.
Da haben wir schon wieder Glück gehabt. Wenn es einen Tag
vorher geregnet hätte, hätte ja das ganze schöne Sommerfest
ausfallen müssen.
»Ich glaube, der Petrus da oben mag uns«, hat Mama gesagt.
»Dass der das schlechte Wetter immer erst schickt, wenn es uns
nicht mehr stört.«
»Wer ist das denn, der Petrus?«, hat Maus gefragt.
Petja hat sich an die Stirn geschlagen und die Augen verdreht,
aber ich habe zu Maus gesagt, Petrus ist der, der das Wetter
macht.
»Und jetzt strullert der runter!«, hat Maus geschrien und
wollte sich totlachen. »Strull, strull, strull!«
Mama hat gesagt, dass Maus nicht so ungezogen reden soll.
Zuerst hat mir der Regen gar nichts ausgemacht und Tieneke
auch nicht, weil wir auch Pfützen gerne mögen und Matsch.
Aber nach ein paar Tagen hatten wir doch die Nase voll.
»Lieber Petrus, mach wieder Sonne!«, hab ich beim Mittagessen gesagt.

»Dann müsst ihr alle euren Teller schön leer essen, dann klappt das schon«, hat Mama gesagt. Das sagt man ja, dass das Wetter schön wird, wenn die Kinder ihren Teller leer essen. Es gab aber Spinat.

Und es ist natürlich auch geschwindelt. Ich hab aber gedacht, versuchen schadet ja nicht. Ich habe meinen ganzen Spinat gegessen und am nächsten Tag Brokkoli, und es hat natürlich trotzdem geregnet.

Jul hat gesagt, wie blöd kann man eigentlich sein. »Ihr glaubt aber auch alles!«, hat sie gesagt. »Das Wetter hat doch nichts damit zu tun, wie gut ihr esst!«

»Nee, das macht der Strullermann!«, hat Maus gerufen und wollte sich schon wieder totlachen. Mama war ja nicht da, um mit ihm zu schimpfen.

»Es wird einfach nur Herbst«, hat Jul gesagt.

Das wollte ich aber nicht glauben.

Eines Morgens hat Frau Streng in der Schule gesagt, sie muss was Wichtiges mit uns besprechen. Dann hat sie eine Geschichte erzählt von Afrika, wo die Kinder ganz arm sind und in Pappkartons auf der Straße schlafen müssen und nicht mal zur Schule gehen können.

»Und dabei ist das ihr größter Wunsch!«, hat Frau Streng gesagt.

Das kann ich mir aber nicht vorstellen. Tieneke hat geflüstert, sie auch nicht.

Frau Streng hat erzählt, dass die Lehrer sich überlegt haben, dass unsere Schule diesen Kindern helfen will. Weil es uns doch allen so gut geht.

Und das stimmt ja auch.

»Was können wir denn mal machen, um Geld für die Kinder in Afrika zu sammeln?«, hat Frau Streng gefragt. »Damit sie in Häusern wohnen und zur Schule gehen können?«

Niklas hat vorgeschlagen, dass wir ja alle unser Taschengeld spenden könnten.

Ich habe mich gemeldet und gesagt, wir können ja auch Geld *verdienen*.

Frau Streng fand, das war eine prima Idee. Die vierte Klasse will das auch machen, hat sie gesagt. Die wollen Kekse backen und sie dann verkaufen. Und nun will sie uns mal verraten, was sie sich für uns ausgedacht hat, nämlich einen Sponsored Walk.

Und weil niemand wusste, was das ist, hat sie es uns erklärt. Am nächsten Donnerstagvormittag sollten alle Kinder aus unserer Klasse um den Sportplatz marschieren, sooft sie konnten. Oder laufen. Aber vorher sollten wir uns alle ganz viele Leute suchen, die uns für jede Runde fünfzig Cent geben wollten oder

zehn Cent. Und wenn wir viele Runden schaffen, haben wir auch viel Geld verdient, hat Frau Streng gesagt. Das können wir dann spenden.

Tieneke hat gefragt, warum die Leute denn Geld dafür bezahlen sollen, dass wir um den Sportplatz gehen. Frau Streng hat gesagt, weil die Leute den Kindern in Afrika bestimmt auch gerne helfen möchten.

Dann hat sie jedem Kind in der Klasse eine Liste gegeben, mit der sollten wir zu Erwachsenen gehen, die wir kennen, und sie fragen, wie viel sie für eine Runde bezahlen wollen. Meine Liste sah so aus:

Sponsored Walk der Klasse 3a
Name des Schülers / der Schülerin:

Name des Sponsors	Betrag pro Runde	Unterschrift
1.		
2.		
3.		

Da bin ich ganz aufgeregt geworden. Am liebsten wäre ich gleich losgegangen. Wir mussten aber ja noch Mathe machen. Wenigstens meinen Namen habe ich aber schon bei »Name« auf den Bogen geschrieben.

Beim Mittagessen habe ich Mama die Liste gezeigt. Sie hat gesagt, das ist ja eine super Idee.

»Wenn ich dir 50 Cent für jede Runde gebe?«, hat sie gefragt. »Ist das gut?«

Ich habe gesagt, dass das sehr gut ist. Dann habe ich bei »Name des Sponsors« »Mama« hingeschrieben und bei »Betrag« »50 Cent«. Mama hat bei »Unterschrift« unterschrieben.

Als ich meinen Teller in die Spülmaschine gestellt hatte, habe ich gleich bei Tieneke geklingelt.

»Wir müssen doch unsere Liste machen«, hab ich gesagt.

Tienekes Mutter wollte Tieneke auch 50 Cent für jede Runde geben, und bei mir hat sie 30 Cent eingetragen.

Danach haben wir bei Mama geklingelt, damit sie bei Tieneke auch 30 Cent eintragen konnte. Sonst ist es ja ungerecht.

Aber dann haben wir uns nicht so richtig getraut, mit unserer Liste auch bei anderen Leuten zu klingeln.

»Bei Fritzi und Jul können wir«, hab ich gesagt. »Michael ist ja nicht fremd.«

Das fand Tieneke auch. Darum sind wir zuerst zu Fritzi und Jul gegangen.

»Das ist aber eine schöne Idee!«, hat ihre Mutter gesagt, genau wie Mama. Dann durften wir den Namen hinschreiben, und sie hat auf beide Listen »30 Cent« und ihre Unterschrift geschrieben.

Jul ist die Treppe runtergekommen und hat ganz maulig geguckt. Ich glaube, sie hat sich geärgert, dass sie an ihrer neuen Schule nicht so gute Sachen machen.

Fritzi hat gesagt, ihre Klasse bastelt Serviettenringe und Schlüsselbretter. Die verkaufen sie dann auf dem Markt, und das Geld dafür wollen sie auch spenden.

Das habe ich auch eine gute Idee gefunden, fast besser als unseren Sponsored Walk. Verkaufen macht immer so viel Spaß.

Als wir wieder draußen waren, haben wir auf unsere Liste geguckt und nachgerechnet. Wir hatten beide 50 Cent (von unseren Müttern) und 30 Cent (von der anderen Mutter) und noch mal 30 Cent (von Fritzis und Juls Mutter). Das macht zusammen 1 Euro 10 Cent.

Für eine einzige Runde! Und ich wollte ja bestimmt mindestens zehn schaffen.

»Da werden die Kinder in Afrika aber reich!«, hat Tieneke gesagt.

Ich finde, das dürfen sie auch. Wenn sie doch jetzt immer in Pappkartons schlafen müssen.

Tieneke hat gesagt, als Nächstes fragen wir Oma und Opa Kleefeld, die geben uns bestimmt auch was. Aber als wir geklingelt haben, hat keiner aufgemacht. Und Vincent und Laurin waren mit ihrer Mutter Winterjacken kaufen. Da konnten wir nur noch bei Voisins klingeln.

»Die schreien uns nur an!«, hat Tieneke gesagt.

Aber ich habe gesagt, weil es für die armen Kinder ist, müssen wir es versuchen.

»Ich geh nicht mit!«, hat Tieneke gesagt. »Du kannst alleine.«

Da bin ich wirklich böse geworden! Dass Tieneke so feige sein kann!

»Bist du jetzt meine Freundin oder nicht?«, hab ich gefragt.

Tieneke hat gesagt, na gut. Aber sie weiß sowieso, dass es nichts bringt.

Und dann haben Voisins am meisten von allen gespendet!

Als ich geklingelt habe, hat Frau Voisin zuerst ein ganz böses Gesicht gemacht. Vielleicht hat sie gedacht, es war ein Klingelstreich.

Darum habe ich ihr ganz schnell erklärt, dass es für die armen

Kinder in Afrika ist und dass wir immer um den Sportplatz laufen wollen.

»Kann ich die Liste mal sehen?«, hat Frau Voisin gefragt. »O ja, da ist ja tatsächlich ein Schulstempel drauf.«

Ich weiß nicht, warum der Stempel wichtig war, aber Tieneke und ich durften beide »Voisin« aufschreiben, und dann hat Frau Voisin »1 Euro« dazugeschrieben. Und die Unterschrift.

»Vielen Dank!«, haben wir gerufen und sind ganz schnell weggerast. Damit Frau Voisin es sich nicht nachher noch anders überlegt.

»So viel!«, hat Tieneke gesagt.

Aber Voisins sind auch ein bisschen reich. Sie haben teuren Rollrasen und goldene Kugeln auf dem Zaun.

Bei Oma und Opa Kleefeld hat immer noch keiner die Tür aufgemacht, und da hat Tieneke gesagt, sie muss sich jetzt sowieso um Wuschelchen und Puschelchen kümmern.

»Soll ich dir helfen?«, habe ich gefragt. Ich finde es immer so schön, wenn ich Kaninchen füttern darf und ausmisten und wenn sie um meine Füße rumwuseln.

»Nein, danke, das sind schließlich *meine* Kaninchen«, hat Tieneke gesagt.

War das nicht gemein von ihr? Tieneke kann manchmal ziemlich zickig sein, finde ich. Auch wenn sie ja meine allerbeste Freundin ist.

Zum Glück ist gerade Fritzi aus ihrem Haus gekommen, und da habe ich sie gefragt, ob wir »Hunde ausführen« spielen wollen. Fritzi wollte.

Wenn man »Hunde ausführen« spielt, muss man einem Stoffhund einen Gürtel um den Hals schnallen, das ist die Hundeleine. Dann geht man mit ihm spazieren. (Natürlich kann ein Stoffhund nicht wirklich laufen, aber wenn man ihn an der Gürtelleine zieht, sieht es trotzdem fast echt aus.)

Fritzi hat ihren Bello geholt, der ist so winzig, dass er eigentlich mehr aussieht wie ein Hamster. Ich habe Blacky geholt. Der ist eine Art Dackel und braun mit weißen Pfoten.

Dann sind wir immer so vor unseren Häusern längs gegangen und haben unsere Hunde ausgeführt. Wir haben so getan, als ob die Hunde sich beschnuppern, und ich habe gesagt: »Ich hoffe, Ihr Hund ist nicht bissig, meine Dame!«

Und Fritzi hat gesagt: »Ich hoffe, *Ihr* Hund ist nicht bissig, meine Dame! Meiner ist nämlich lieb.«

»So, aha«, habe ich gesagt. Da hat Tieneke plötzlich ihre Haustür aufgemacht und gefragt, ob sie mitspielen darf.

»Ich denk, du musst dich um Puschelchen und Wuschelchen kümmern?«, habe ich gesagt. Aber dann durfte sie doch mitmachen. Obwohl sie ja zickig gewesen war. Aber wenn Tieneke mitspielt, macht alles immer mehr Spaß. Also hat Tieneke ihren Bonni geholt.

Gerade als wir unsere Hunde wieder nach drinnen bringen wollten, weil es uns langweilig geworden ist, immer nur hin und her zu gehen, ist Petja vom Judo gekommen.

»Wow!«, hat er geschrien. »Was sehen meine Hühneraugen? *Three dogs!*«

Petja lernt jetzt ja Englisch. Da musste er natürlich gleich angeben. Aber ich weiß auch, dass *three* drei heißt, und *dog* heißt Hund.

»Hilfe!«, hat Petja gesagt. »Da trau ich mich ja überhaupt nicht vorbei! Fritzis *dog* sieht ja tierisch gefährlich aus!«

Dabei war das doch der winzige Bello! Petja wollte uns nur mal wieder vergackeiern.

»Wau, wau, wau!«, hat Fritzi geschrien. Als ob Bello das macht.

»Hilfe!«, hat Petja gebrüllt und ist mit einem Satz über unsere Pforte gesprungen. »Eine wilde Bestie!«

Aber dann ist Jul gekommen und hat gesagt, dass wir ja wohl spinnen. Wenn wir unsere Hunde immer auf der Straße hinter uns herschleifen, werden die Hundebäuche doch ganz dreckig.

»Die kann man ja in die Waschmaschine stecken!«, hat Tieneke gesagt.

»Hoffentlich fressen sie dann nicht das ganze Waschpulver auf!«, hat Jul gesagt und uns einen Vogel gezeigt.

Irgendwie hatten wir danach keine Lust mehr, »Hunde ausführen« zu spielen. Darum haben Tieneke und ich unsere Listen geholt und noch mal bei Oma und Opa Kleefeld geklingelt. Natürlich wollte Opa Kleefeld unbedingt, dass wir seinen Namen auf beide Listen schreiben.

»Ein Euro«, hat er gesagt. »Wie Nachbar Voisin.«

Ich hab ihm vorsichtshalber noch mal erklärt, dass er dann einen Euro für jede Runde bezahlen muss, nicht für das Ganze. Und dass ich zehn Runden schaffe, und Tieneke auch. Alte Leute verstehen Sachen ja manchmal nicht so gut. Und alte Leute sind manchmal ja auch arm. Darum wollte ich ihn lieber warnen.

Opa Kleefeld hat aber gesagt, ja, klar, das weiß er schon. Aber weil es für so einen guten Zweck ist, gibt er das Geld gerne, da ist er sich mit Oma Kleefeld einig.

Wir sind sehr zufrieden nach Hause gegangen. Man stelle sich vor, wir sollten ja beide für jede Runde 3 Euro 10 kriegen! Ich verstehe überhaupt nicht, warum Papa immer sagt, Geldverdienen ist schwer.

9

Wir verdienen viel Geld und erfinden neue Lieder

Dann ist der Donnerstagmorgen gekommen. Wir mussten erst um neun Uhr in der Schule sein. Frau Streng hat gesagt, je länger wir schlafen, desto mehr Kraft haben wir. Und wenn wir mehr Kraft haben, schaffen wir mehr Runden. Und das ist gut für die Kinder in Afrika. Darum dürfen wir am Donnerstag ausschlafen.

Leider war das Wetter nicht so gut, aber wenigstens hat es nicht geregnet. Ich habe meine neuen Turnschuhe angezogen und eine Jogginghose.

»Ich drück euch ganz fest die Daumen!«, hat Mama uns nachgerufen, als ich mit Tieneke losgegangen bin. »Dass ihr ordentlich lange durchhaltet! Viel Glück!«

Sie hatte mir auch extra Essen eingepackt wie für einen Ausflug: zwei Schokoriegel und einen Müsliriegel und ein Würstchen und einen Topf gekauften grünen Wackelpudding (mit Löffel) und einen Apfel und sogar eine Dose Cola.

Ich habe aber nicht gewusst, wie ich das essen soll, wenn ich doch die ganze Zeit rummarschiere.

Auf dem Sportplatz stand Frau Streng und hat uns auf ihrer Klassenliste abgehakt. Dann durften wir losgehen.

Tieneke und ich sind zusammen gegangen und haben uns unterhalten. Wir mussten ja nicht schnell sein, nur lange durchhalten.

Als wir das erste Mal um den Sportplatz gegangen waren und wieder bei Frau Streng angekommen sind, hat sie uns einen Stempel auf die Hand gegeben. Und beim zweiten Mal wieder und jedes Mal. So konnten wir hinterher zählen, wie viele Runden wir geschafft hatten.

Auf dem Stempel stand: »Posteingang«. Das war doch lustig. Tieneke hat gesagt, wir sind schließlich keine Post. Und ich habe gesagt, und ein Eingang sind wir auch nicht.

Posteingang

»Wieso braucht die Post eigentlich einen eigenen Eingang?«, hat Tieneke gefragt. Das wusste ich aber auch nicht.

Zu Hause habe ich drei hübsche Stempel: einen mit einem Pferd und einen mit einer Mickymaus und einen mit Happy Birthday. Die hätte man ja viel besser nehmen können.

Als wir sieben Runden gegangen waren, hat Tieneke gesagt, irgendwie ist der Sportplatz ganz schön groß. Das hatte sie vorher gar nicht so gewusst.

Ich habe gesagt, nee, ich auch nicht.

»Aber zehn Runden schaffen wir, oder?«, hat Tieneke gefragt.

Ich habe gesagt, logisch. Wir müssen aber irgendwas machen, was uns bei Laune hält.

Darum haben wir angefangen zu singen. Früher sind die Leute ja auch immer gewandert, hat Frau Streng uns mal in der Musikstunde erzählt. Durch das ganze Land. Zu Fuß! Weil es doch keine Autos und keine Flugzeuge und keine Eisenbahnen gab. Nicht mal Mopeds. Und dabei haben die Wandersleute dann auch immer gesungen, um sich bei Laune zu halten. Wanderlieder.

Frau Streng hatte uns »Das Wandern ist des Müllers Lust« beigebracht, das ist ein sehr altes Lied, aber es ist trotzdem schön, finde ich. Und jetzt war es doch ein Glück, dass wir es kannten. Ein Wanderlied ist ja das beste Lied, wenn man wandert. Weihnachtslieder kann man da ja wohl nicht singen.

»Oder Schlaflieder!«, hat Tieneke gesagt.

»Nee, dann schlafen wir noch beim Laufen ein«, hab ich gesagt. Darum haben wir »Das Wandern ist des Müllers Lust« gesungen. Zum Glück kannten wir alle Worte.

Aber plötzlich hat Tieneke mich am Ärmel gezupft.

»Ein Müller sind wir ja eigentlich nicht«, hat sie gesagt.

Darum haben wir das Lied umgedichtet. Ich habe »Das Wandern ist der Tieneke Lust« gesungen und Tieneke hat »Das Wandern ist der Tara Lust« gesungen. Da hat es fast zweistimmig geklungen.

Und wo es heißt »Das muss kein rechter Müller sein, dem niemals fiel das Wandern ein«, haben wir auch gesungen: »Das muss keine rechte Tieneke sein.« Oder keine rechte Tara.

Da hatten wir schon wieder zwei Runden geschafft, und wir haben es nicht mal richtig gemerkt. Tieneke hat gesagt, die Menschen früher sind doch klug gewesen. Dass sie das mit den Wanderliedern erfunden haben. Man kann dann wirklich viel besser wandern.

Ich habe gesagt, das finde ich auch.

»Aber eigentlich wandern wir ja gar nicht«, habe ich gesagt. »Eigentlich machen wir einen Sponsored Walk.«

Darum haben wir das Lied noch ein bisschen anders gesungen, und da hieß es so: »Der Sponsored Walk ist der Tieneke Lust, der Sponsored Walk ist der Tieneke Lust, der Sponsored Walk! Das muss keine rechte Tieneke sein, der niemals fiel der Sponsored Walk ein, der niemals fiel der Sponsored Walk ein, der Sponsored Walk!«

Das hat uns so gut gefallen, und da sind wir erst richtig in Schwung gekommen und haben noch lauter neue Strophen dazugedichtet, zum Beispiel: »In Afrika haben die Kinder kein Geld, in Afrika haben die Kinder kein Geld, in A-fri-ka!« Und auch: »Wir sammeln Geld für Afrika, wir sammeln Geld für Afrika, für A-fri-ka!«

Als wir bei Frau Streng vorbeigekommen sind, hat sie gesagt, sie findet es toll, wie wir singen.

Aber plötzlich hatte Tieneke schon wieder einen neuen Text: »Der Tieneke tun die Füße weh, der Tieneke tun die Füße weh, die Fü-ße weh!«

Und ich habe gesungen: »Der Tara knurrt der Ma-hagen, der Tara knurrt der Ma-hagen, der Ma-ha-gen!«

Wir haben Frau Streng gefragt, ob wir eine kleine Pause machen dürfen. Frau Streng hat gesagt, kein Problem.

Da haben wir uns auf die Zuschauerbänke gesetzt und unser Picknick gegessen, und Tieneke hat gesagt, sie könnte noch glatt das Doppelte schaffen. In ihrem Bauch ist irgendwie ein riesengroßes Loch. Dass Wandern so hungrig macht, hat sie gar nicht gewusst.

Eigentlich hatten wir danach gar keine Lust mehr, noch weiterzumachen, aber ich habe gesagt, wir müssen. Kristin und Carolin und Niklas und Adrian und Maike waren auch noch unterwegs. Und wenn es für einen guten Zweck ist, muss man durchhalten.

Gesungen haben wir aber nicht mehr.

Und dann hat es plötzlich angefangen zu regnen. Es hat so geschüttet, dass meine Haare gleich klitschenass waren.

Frau Streng hat in ihre Trillerpfeife gepustet. »Alle Kinder aufhören!«, hat sie gerufen. »Ganz schnell zurück in die Turnhalle!«

»Wie schade!«, hab ich gesagt. »Wir hätten bestimmt 20 Runden geschafft.«

Aber eigentlich war ich auch ganz froh. Meine Füße haben sich schon angefühlt wie zwei schwere, schwere Bleiklumpen.

In der Turnhalle hat Frau Streng dann bei allen Kindern die Stempel auf dem Arm gezählt und die Runden auf den Bogen geschrieben. Bei Tieneke und mir stand »13 Runden«, und das war ja sogar mehr, als wir gedacht hatten. Frau Streng hat wieder mit dem Schulstempel auf unseren Bogen gestempelt.

»Und eure Hausaufgabe zu morgen ist, dass jeder ausrechnet, wie viel Geld er eingenommen hat«, hat Frau Streng gesagt.

»Buh! Buh!«, haben Niklas und Adrian geschrien.

Wir haben mitgeschrien. Niemand will ja gerne Hausaufgaben aufkriegen.

Aber eigentlich fand ich es gar nicht so schlimm. Ich wollte ja sowieso gerne wissen, wie viel Geld ich verdient hatte.

»Ich nehm meinen Taschenrechner!«, hat Tieneke geflüstert.

»Ich auch!«, hab ich zurückgeflüstert. Eigentlich gehört er aber Petja.

Als Tieneke und ich zu Hause angekommen sind (Tieneke ist mit zu mir gekommen, weil ihre Mutter gearbeitet hat), hat Mama die Hände über dem Kopf zusammengeschlagen.

»Du meine Güte!«, hat sie gerufen. »Tropfnass wie zwei ersäufte kleine Katzen!«

Wir mussten uns ganz schnell trockene Sachen anziehen. Ich habe Tieneke welche von mir gegeben. Zum Glück sind wir ja fast genau gleich groß. (Vielleicht ist Tieneke ein ganz, ganz winziges bisschen größer.) Da passen ihr meine Sachen auch.

Mama hatte in der Küche schon zwei Eimer mit heißem Wasser hingestellt, damit wir beide ein Fußbad nehmen konnten. Einen heißen Apfelsaftpunsch hatte sie uns auch gekocht. Den gibt es nämlich zum Fußbad immer aus den altmodischen kleinen Tassen mit Streublümchen drauf, die Mama schon hatte, als sie noch ein kleines Mädchen war, und das finde ich so schön und gemütlich. Meinetwegen könnte ich jeden Tag pitschnass werden.

»So!«, hat Mama gesagt, als Tieneke ihre Füße in Mamas rotem Wischeimer hatte, und ich hatte meine in ihrem weißen. »Damit ihr euch nicht erkältet!«

Maus ist aus seinem Zimmer gekommen und hat geschrien, dass er auch ein Fußbad will.

»Aber du bist doch gar nicht nass geworden, Maus«, hat Mama gesagt.

»Bin ich wohl!«, hat Maus geschrien. »Weißt du ja gar nicht!«

Da hat Mama gelacht und für Maus heißes Wasser in unsere rosa Plastikschüssel gefüllt. Dann hat sie ihm auch eine Blümchentasse mit Punsch gegeben.

»Aber ich brauch einen Strohhalm!«, hat Maus böse gesagt.

»Punsch trinkt man ja nicht mit Strohhalm, Maus«, habe ich gesagt, aber Mama hat schon die Strohhalme aus der untersten Küchenschublade geholt.

»Ihr auch?«, hat sie gefragt und Tieneke und mir auch einen gegeben. Meiner war blau, und Tienekes war gelb, und der von Maus war grün.

Dann ist Mama nach unten in den Waschkeller gegangen.

Und kann sich irgendwer vorstellen, was Maus da mit seinem Strohhalm gemacht hat? Er hat gar nicht seinen Punsch damit getrunken. Er hat den Strohhalm in sein Fußbad getaucht, und dann hat er tatsächlich sein Fußbad geschlürft!

»Leckeres Fußwasser!«, hat er gerufen und wollte sich totlachen.

Tieneke wollte sich auch totlachen. Wir haben auch versucht, unser Fußbad zu trinken, aber nur ein klitzekleines bisschen. Es hat nicht gut geschmeckt. Da haben wir lieber wieder unseren Punsch getrunken.

»Eigentlich können wir mal öfter was für die armen Kinder in Afrika tun«, hat Tieneke gesagt.

Ich finde, sie hat recht.

Es macht viel mehr Spaß als so ein ganz normaler Schultag.

10

Wir kommen in die Zeitung

Dann haben wir aber ausgerechnet, wie viel wir verdient hatten. Es war ja bei Tieneke und mir genau gleich viel, darum konnten wir unsere Hausaufgaben auch zusammen machen.

Wir haben jede 3,10 € für eine Runde gekriegt, und wir haben dreizehn Runden geschafft. Also mussten wir 3,10 € mit 13 malnehmen. Das haben wir eigentlich noch nicht gelernt. Wegen dem Komma. Und wir können das Einmaleins erst bis zwölf.

Aber Mama hat uns ein bisschen geholfen, und da sind doch tatsächlich 40,30 € rausgekommen! So viel hatten Tieneke und ich jede verdient!

Mir ist ganz schwindlig geworden. Ich hatte gar nicht gewusst, dass man so schnell reich werden kann.

Am nächsten Morgen haben wir in der Schule verglichen, wie viel wir alle verdient hatten. Marvin hatte die meisten Runden, nämlich 17, und zwei andere Jungs (Niklas und Adrian) hatten 15 Runden. Von den Mädchen hatte nur Kristin mehr als Tieneke und ich. Sie hatte 14 Runden. Und Carolin hatte auch 13, genau wie wir.

Alle anderen hatten weniger geschafft. Aber trotzdem hatte Kiki das meiste Geld verdient. Sie hatte nämlich zwölf Leute auf ihrer Liste, und vier davon wollten einen Euro pro Runde geben. Und sechs wollten 50 Cent und einer 20 und einer nur 10.

Kiki hatte leider nur neun Runden geschafft. Die ganze Klasse musste ausrechnen, wie viel sie verdient hatte. (Es kommt 65,70 € raus. Kiki hat es mir vorgesagt.)

Wir haben alle eine schöne Urkunde aus dem Klassencomputer gekriegt, da stand drauf, wie viele Runden wir geschafft hatten und wie viel wir gespendet haben. Zu Hause habe ich sie gleich zu den Urkunden vom Sommerfest gelegt. Ich habe dafür jetzt eine Extraschachtel. Vorher waren da Pralinen drin. Papa hatte sie Mama zu ihrem Geburtstag geschenkt.

Wir mussten dann auch noch ausrechnen, wie viel Geld uns jeder Sponsor bezahlen musste. Frau Streng hat es nachkontrolliert, und dann durften wir es hinter dem Namen auf die Liste schreiben.

Tieneke hat mir zugeflüstert, dass sie einen Sponsored Walk vielleicht doch nicht mehr so gut findet. Wenn man danach so viel rechnen muss.

Zu Hause haben wir dann zusammen überall geklingelt und den Nachbarn gesagt, wie viel wir von ihnen kriegen.

»13 Runden?«, hat die Mutter von Fritzi und Jul gerufen. »Du meine Güte! Da werde ich ja arm!«

Dann hat sie Tieneke und mir jeder 3,90 € gegeben.

Opa Kleefeld hat sich sehr gefreut, als er gehört hat, wie viel wir geschafft haben. Er hat uns unser Geld gegeben (13 Euro) und dann auch noch für jede von uns 1,50 € dazu.

»Das ist für Eis«, hat er gesagt. »Das habt ihr euch wirklich verdient, Mädchen.«

Wir haben ein bisschen überlegt, ob wir das Eisgeld vielleicht auch noch spenden sollten. Aber Tieneke hat gesagt, lieber nicht. Dann kommt nur unsere ganze Liste durcheinander und unsere ganze Rechnerei. Es ist besser, wenn wir genauso viel Geld abgeben, wie wir in der Schule ausgerechnet haben.

Darum sind wir dann noch zur Eisdiele gegangen, obwohl es ziemlich weit ist. Wir haben beide zwei Kugeln mit Sahne und Streuseln genommen. Tieneke hatte Schoko-Vanille und ich Krokant-Bubblegum. Das schmeckt wie Kaugummi.

Als wir zurückgegangen sind, habe ich gesagt, nun müssen wir nur noch zu Voisins.

»Aber du fragst!«, hat Tieneke gesagt.

Diesmal hat Herr Voisin die Tür aufgemacht, er war aber sehr freundlich.

»Ach, ihr kommt sicher wegen der Spende!«, hat er gesagt. »So eine schöne Idee.«

»Genau«, habe ich gesagt. Tieneke ist so halb hinter mir stehen geblieben. Ich hab auch immer ein bisschen Angst, wenn ich mit Herrn Voisin reden muss. Früher haben wir sogar mal geglaubt, dass er ein Ver-

brecher ist. Aber jetzt brauchten wir ja das Geld von ihm. Herr Voisin wollte wissen, wie viel Geld wir kriegen, und dann hat er es auf 15 Euro aufgerundet. »Bei so einer guten Sache will ich ja nicht geizig sein!«, hat er gesagt. Wer hätte das von Herrn Voisin gedacht! Vielleicht mag er nur keine deutschen Kinder. Aber die Kinder in Afrika findet er nett.

Am nächsten Morgen haben alle Kinder ihr gesammeltes Geld mit zur Schule gebracht. Wir haben es Frau Streng gegeben und eine Quittung dafür gekriegt. Und in der Pause hat Frau Streng alles gezählt, und da waren es 723 Euro!

So viel! Frau Streng hat gesagt, sie kann gar nicht sagen, wie stolz sie auf uns ist. Und wenn wir heute Mittag nach Hause kommen, sollen wir alle mal in unsere Briefkästen gucken. Und was dadrin ist, sollen wir ganz, ganz genau ansehen.

»Was denn?«, haben wir alle gerufen. »Sagen! Bitte, bitte, bitte!«

Frau Streng hat gesagt, es ist ein Geheimnis. Aber sie ist sich sicher, dass wir uns freuen.

Da konnte ich gar nicht mehr richtig aufpassen, so gespannt bin ich gewesen.

Nach der vierten Stunde sind wir ganz schnell nach Hause gerannt, weil wir wissen wollten, was in unseren Briefkästen war.

»Vielleicht hat uns ja der Bürgermeister einen Brief geschrieben, weil wir so toll gespendet haben«, hat Tieneke gesagt.

Ich habe gedacht, dass ich den dann zu den Urkunden in die Schachtel lege. Mit einem Brief vom Bürgermeister kann man nicht viel machen.

Als wir zum Garagenplatz gekommen sind, haben wir schon von Weitem gesehen, dass Maus immer im Kreis gelaufen ist.

»Hallo, Maus!«, habe ich gerufen. »Was machst du denn da?«

»Sponselwoll!«, hat Maus gesagt. Dabei ist er immer weiter-
gelaufen.

»Was?«, hat Tieneke gefragt.

»Sponselwoll!«, hat Maus geschrien. »Du hast wohl keine
Ohren!«

»Er meint Sponsored Walk«,
habe ich gesagt.

»Aber das kann man nicht
alleine machen, Maus. Das geht
nur mit der Schule.«

»Geht das gar nicht, du Doofi!«,
hat Maus geschrien und ist immer weiter im Kreis gelaufen.

»Mama hat gesagt, ich darf!«

Tieneke hat sich gegen die Stirn getippt. »Kriegst du denn auch
Geld dafür?«, hat sie gefragt.

»2 Euro!«, hat Maus gesagt. »Für die armen Kinder mach ich
das.«

»2 Euro?«, hab ich gefragt. »Egal, wie lange du hier rum-
rennst?«

Das habe ich ungerecht gefunden. Aber hinterher hat Mama zu
mir gesagt, es ist doch schön, wenn Maus auch was Gutes tun
möchte.

Wir hatten sowieso keine Lust, uns lange mit Maus zu unterhalten. Wir wollten schließlich sehen, was in unseren Briefkästen war.

»Nur das Käseblatt!«, hat Tieneke ganz enttäuscht gesagt.

Wir kriegen jede Woche drei Zeitungen, die werden einfach in unsere Kästen gesteckt, und wir müssen gar nichts dafür bezahlen. Sie heißen natürlich nicht wirklich Käseblatt. Und es steht alles über unseren Ort drin: wann Schützenfest ist und wie der Bürgermeister heißt und dass ein Unfall auf der Hauptstraße passiert ist und dass der Gesangverein ein Konzert gibt. Mama liest das immer alles. Sie sagt, dann weiß sie Bescheid.

Ich finde die Käseblätter aber langweilig.

Aber jetzt hat Tieneke ihrs aus dem Kasten gezogen. »Was soll das denn für eine Überraschung sein?«, hat sie gefragt.

Und dann haben wir es gesehen. Gleich auf der ersten Seite war ein buntes Foto von der zweiten Klasse, wie die Kinder auf dem Markt stehen und Serviettenringe verkaufen.

»Grundschüler zeigen Herz«, stand darüber.

»Fritzi ist in der Zeitung!«, hat Tieneke geschrien. »Und Laurin auch!«

Man konnte sie auf dem Foto gut erkennen. Von Laurin war nur ein Arm zu sehen, weil er hinter so einem großen Jungen stand, aber ich habe ihn am Ärmel erkannt. Ich kenne ja seine Jacke.

Und Fritzi stand sogar ganz vorne.

»Schlag mal auf!«, hab ich gesagt. »Vielleicht sind wir auch drin!«

Und wirklich, auf Seite drei war ein ganz langer Bericht darüber, dass die Grundschule ein Hilfsprojekt gemacht hat (so heißt das), und dabei war auch ein Foto von unserem Sponsored Walk.

Und man konnte Tieneke und mich richtig gut erkennen! Wir waren vielleicht ein bisschen klein auf dem Bild (weil das Bild

ja auch klein war), aber Mama hat gesagt, es ist gar keine Frage, dass die beiden Mädchen hinten links Tieneke und ich sind.

»Jetzt seid ihr auch noch in der Zeitung!«, hat sie gesagt. »Sprecht ihr denn da überhaupt noch mit mir, oder seid ihr dafür zu berühmt?«

Das war aber natürlich nur Quatsch. Mama weiß ja, dass ich mit ihr spreche.

Als Petja nach Hause gekommen ist, habe ich es ihm gleich gezeigt, und er hat gesagt, man kann mich auf dem Bild nicht erkennen. Er wollte mich aber nur ärgern. Ich glaube, er war böse, weil er nicht in der Zeitung war.

Mama hat bei Oma und Opa Kleefeld geklingelt und gefragt, ob wir vielleicht ihre Zeitung haben können. Damit wir sie meiner echten Oma und meinem echten Opa schicken können. Unsere Zeitung haben wir ja selber gebraucht. Mama hat den ganzen Artikel in mein Fotoalbum geklebt.

Am Abend hat Opa Kleefeld mich vor der Pforte getroffen, als er zum Milchholen gefahren ist, und er hat gefragt, ob er vielleicht ein Autogramm von mir kriegen kann.

»Da wohne ich nun mit lauter Berühmtheiten zusammen!«, hat er gesagt. »Es ist ja nicht zu glauben!«

Opa Kleefeld ist immer so nett, finde ich.

11

Ich bekomme Post und gehe zum Tierarzt

Und dann ist etwas Wunderbares passiert!

Als ich an einem Donnerstag aus der Schule gekommen bin, hat Mama so ganz geheimnisvoll getan und gesagt, ich soll vielleicht mal auf meinem Schreibtisch nachgucken, was da liegt.

Und da hatte ich doch tatsächlich eine Karte gekriegt von einer Frau, die meinen Luftballon vom Sommerfest gefunden hatte!

Leider war er nicht bis Afrika geflogen oder bis Amerika. Nicht mal bis zur Ostsee. Die Karte kam aus der Straße hinter dem Supermarkt.

Aber das war ja auch schön.

Es war eine sehr hübsche Karte mit einem puscheligen kleinen Küken.

»Liebe Tara!«, stand darauf. Und dass die Karte jetzt erst kam, weil die Frau meinen Luftballon nämlich auch jetzt erst gefunden hatte. Zwischen ihren Rosen. Als sie den Garten winterfertig machen wollte.

Man stelle sich vor! Was für ein Glück, dass wir auf dem Sommerfest nur so einen grässlichen Kugelschreiber zum Schreiben hatten. Schöne Tinte wäre zwischen den Rosen ja schon lange verwischt gewesen.

»Mama!«, hab ich gebrüllt. »Es ist von meinem Luftballon!«

Dann wollte ich sofort losgehen und Tieneke die Karte zeigen, aber ich musste zuerst noch Mittag essen.

Danach bin ich aber gleich losgeflitzt. Ich wollte Tieneke fragen, ob sie mit mir zu der Adresse hinter dem Supermarkt geht. Ich wollte so gerne mal gucken, in was für einem Haus meine Brieffreundin wohnt und wie sie aussieht.

Aber als Tieneke mir die Tür aufgemacht hat, war sie ganz aufgeregt.

»Ich finde meinen Schlüssel nicht!«, hat sie gesagt und fast geweint.

»Wieso, du bist doch drin!«, habe ich gesagt. Aber es war gar nicht der Haustürschlüssel, den Tieneke verloren hatte, sondern der Schlüssel von dem Vorhängeschloss vor dem Kaninchenkäfig.

Dabei war das schon ihr Ersatzschlüssel. Den richtigen hatte sie in den Sommerferien beim Tickenspielen verloren. Er war ihr in den Gully gefallen. Und nun konnte Tieneke nicht zum Tierarzt gehen, und dabei war sie schon angemeldet!

»Sind Wuschelchen und Puschelchen denn krank?«, habe ich ganz erschrocken gefragt. Aber Tieneke hat gesagt, nein, aber eigentlich sind sie ja Zwergkaninchen. Und nun sind sie schon größer als eine Katze. Ihre Mutter macht sich Sorgen, dass sie nachher gar nicht mehr aufhören zu wachsen.

Ich hab mir zwei Kaninchen vorgestellt, die so groß sind wie ein Schäferhund. Oder sogar wie ein Pferd! Dafür wäre dann Tienekes kleiner Garten zu klein. Da müsste ein Kaninchen nebenan in Voisins Garten wohnen. Das würden Voisins aber bestimmt nicht erlauben.

»Vielleicht hab ich den Schlüssel bei dir liegen lassen?«, hat Tieneke gesagt.

Da haben wir bei uns in der Garderobe gesucht und in meinem Zimmer und in der Küche. Der Schlüssel war aber nicht da.

»Na, dann wollen wir das mal anders regeln«, hat Mama gesagt und geseufzt. »Kommt mal mit. Ihr wusstet wohl gar nicht, dass ich die Königin der Einbrecher bin!«

Dann hat sie einen Schraubenzieher aus dem Keller geholt und das Vorhängeschloss vor dem Kaninchenkäfig einfach abgeschraubt. Da war der Käfig offen.

So einfach geht das! Ich hab es nicht zu Tieneke gesagt, aber dann braucht man ja überhaupt kein Vorhängeschloss, finde ich. Wenn sowieso nachts einfach ein Räuber in Tienekes Garten kommen kann und schraubt das Schloss ab und klaut ihre Kaninchen.

Tienekes Mutter hatte sich von einer Arbeitskollegin einen Katzenkorb geliehen, in den haben wir Wuschelchen und Puschelchen gesetzt. Ich durfte mit zum Tierarzt.

Wenn man kein eigenes Tier hat, geht man ja nicht so oft zum

Tierarzt, und das ist schade. Weil es beim Tierarzt viel lustiger ist als beim Menschenarzt.

Im Wartezimmer saßen zwei Hunde (nicht allein natürlich! Mit ihren Menschen) und ein Mädchen mit einem Meerschweinchen, und eine Frau hatte ein großes Vogelbauer mit einem grauen Papagei.

Die Hunde waren ein Westi mit einem Verband um die rechte Vorderpfote und so ein großer fluscheliger Hirtenhund, wie ich ihn mir später auch mal kaufe. Der hat nur ganz müde den Kopf zu uns umgedreht, als wir gekommen sind. Daran hat man ja gemerkt, dass er krank war.

Aber am lustigsten war der Papagei. Er hat die ganze Zeit geredet.

»Gibt es keine Bratkartoffeln mehr?«, hat er gerufen. Das war doch eine komische Frage für einen Papagei beim Tierarzt.

Seine Stimme hat geklungen wie ein Kassettenrekorder. Deswegen hab ich zuerst gedacht, dass vielleicht irgendwo im Käfig ein Kassettenrekorder versteckt ist. Aber die Frau hat gesagt, nein, nein, ihr Lukas spricht wirklich selber.

»Guten Morgen, wo bleibt das Frühstück?«, hat Lukas gerufen und ist auf seiner Stange hin- und hergetrippelt.

Da mussten Tieneke und ich ziemlich lachen, weil es doch schon Nachmittag war.

»Gibt es keine Bratkartoffeln mehr?«

»Willst du Bratkartoffeln zum Frühstück?«, hat Tieneke gesagt und sich vor das Vogelbauer gekniet. Da hab ich mich auch vor das Vogelbauer gekniet.

»Verdammter Sauladen!«, hat der Papagei gerufen. Er war wirklich nicht gut erzogen. »Gibt es keine Bratkartoffeln mehr?«

»Ich hab Gummibärchen!«, hat Tieneke gesagt. Sie wollte ihm schon ein Gummibärchen durch die Gitterstäbe halten, aber die Frau hat gesagt, vorsichtig, Lukas beißt. Und außerdem sind Gummibärchen nicht gut für Papageien.

Ich weiß aber nicht, ob Bratkartoffeln viel gesünder für Papageien sind.

»Guten Morgen, wo bleibt das Frühstück?«, hat Lukas gerufen. »Verdammter Sauladen!«

Wir haben die Frau gefragt, welche Krankheit Lukas hat, und sie hat gesagt, er zupft sich die Federn aus. Das ist bei Papageien kein gutes Zeichen.

»Gib Mama einen dicken Schmatz!«, hat Lukas gerufen. »Gibt es keine Bratkartoffeln mehr?«

Dann musste er leider ins Behandlungszimmer. Ich habe zu Tieneke gesagt, dass ich mir später auch einen Papagei kaufe, wenn ich erwachsen bin. Dem bringe ich dann aber nur schöne Worte bei.

»Oder Witze!«, hat Tieneke gesagt. Das fand ich auch eine gute Idee. Ich möchte gerne einen Papagei haben, der immer Witze erzählt.

Wir haben uns noch mit den anderen Leuten unterhalten, was für Krankheiten ihre Tiere hatten. Das Meerschweinchen hatte sein Fell verloren, bis es fast kahl war. Es hatte Milben, hat das Mädchen gesagt. Jetzt ging es ihm aber schon viel besser. Das Mädchen musste es jeden Tag mit einem Mittel einreiben.

Der Westi war in eine Glasscherbe getreten, und der müde Hirtenhund wollte schon seit Tagen nicht fressen.

»Da macht man sich doch Sorgen!«, hat der Mann gesagt, dem der Hund gehörte.

Ich hätte mir auch Sorgen gemacht.

Dann wollte der Mann wissen, was mit Puschelchen und Wuschelchen los war, und Tieneke hat erzählt, dass sie gar nicht mehr aufhören wollten zu wachsen.

Der Mann hat genickt. »Da braucht ihr keinen Dokter für!«, hat er gesagt. »Das Geld könnt ihr sparen. Die müssen so, das seh ich auf den ersten Blick. Belgische Riesen.«

»Riesen?«, hat Tienekes Mutter ganz verblüfft gesagt. »Das sind Zwergkaninchen!«

Aber der Mann hat nur gelacht und gesagt, so riesige Zwerge hat er ja noch nie gesehen. Er hat mal Belgische Riesen gezüchtet, darum weiß er, dass die beiden im Katzenkorb welche sind. Darauf verwettet er sein letztes Hemd.

Tienekes Mutter hat sehr erschrocken ausgesehen. Sie wollte aber auf alle Fälle hören, was der Tierarzt sagt.

Das Geld hätte sie aber wirklich sparen können, weil der Tierarzt genau das Gleiche gesagt hat wie der Mann.

Er hat sich sehr gefreut, dass auch mal gesunde Tiere zu ihm kommen, und dann hat er gesagt, Puschelchen und Wuschelchen sind zwei ganz besonders propere Belgische Riesen, und ganz ausgewachsen sind sie noch nicht. Aber so groß wie ein Schäferhund werden sie nicht. Sie brauchen aber trotzdem einen neuen Käfig, wenn sie jetzt in einem für Zwergkaninchen wohnen.

Tienekes Mutter war auf der ganzen Rückfahrt sehr schlechter

Laune. Sie hat gesagt, sie hat keine Ahnung, wo sie so schnell einen neuen Käfig für zwei so große Brummer herkriegen soll. Ich habe aber gesagt, dass ich glaube, Michael baut den gerne. Als wir Wuschelchen und Puschelchen wieder zu ihrem Käfig gebracht und das Vorhängeschloss mit dem Schraubenzieher festgeschraubt hatten, ist mir plötzlich meine Postkarte wieder eingefallen. Die hatte ich in der Aufregung doch tatsächlich ganz vergessen!

Tieneke fand das Küken auch süß. Sie wollte gerne mit mir das Haus ausspionieren, in dem meine Brieffreundin wohnt.

Den Weg zum Supermarkt kannten wir ja, und das Haus war auch wirklich gleich dahinter. Und man stelle sich vor, da war es der Bäckerladen! Und meine Brieffreundin war die Bäckersfrau.

Das hat wirklich gestimmt, weil der Name an der Bäckerei und der Name auf der Karte der gleiche war. Nämlich Puttfarken. Ich finde, das ist ein schöner, lustiger Name. Ganz genau richtig für eine Bäckerei.

Ich bin gleich nach Hause gerast, weil ich eine Antwortkarte schreiben wollte. Tieneke hat gesagt, sie muss sowieso Puschelchen und Wuschelchen füttern.

»Aber wieso bist du denn nicht in den Laden gegangen und hast Hallo gesagt?«, hat Mama gefragt.

Ich habe gesagt, dass das peinlich ist. Und außerdem muss man ja wohl eine Antwort *schreiben*, wenn man Post kriegt.

Jul hat schon drei Brieffreundinnen (das sind ihre Freundinnen von da, wo sie früher gewohnt hat), aber ich habe keine einzige. Darum habe ich mich über die Bäckersfrau auch sehr gefreut.

In meinem Zimmer habe ich eine Postkartensammlung mit schönen Postkarten. Meine allerschönste Karte ist aus Glitzer mit Cinderella drauf, und dann habe ich noch ziemlich viele schöne Pferdekarten. Die wollte ich aber nicht nehmen. Ich habe eine Karte mit einem niedlichen Seehund ausgesucht, der hat eine Sprechblase am Kopf, in der steht: »Was *see* ich denn da?!?«

Als Mama mir die Karte geschenkt hat, hab ich zu ihr gesagt, das ist ja falsch. In Rechtschreibung bin ich nämlich gut, darum weiß ich, dass es »Was *seh* ich denn da?!?« heißen muss.
Aber Mama hat gesagt, es ist ein Witz. Weil es doch ein *See*hund ist.
Ich hab gehofft, dass die Bäckersfrau den Witz versteht.
Zuerst wusste ich nicht, was ich schreiben sollte. Ich habe Mama gefragt, und sie hat gesagt, etwas Lustiges oder Span-

nendes. Nicht nur: »Wie geht es dir? Mir geht es gut!« So eine Post ist ja langweilig.

Darum habe ich geschrieben:

> Liebe Frau Puttfarken!
> Wir waren beim Tierarzt und da war
> ein Papagei und der wollte immer
> Bratkartoffeln essen.
>
>   H. D. L.

Dann habe ich gemerkt, dass ich nicht »Vielen Dank für Ihre Karte« geschrieben hatte. Aber es war kein Platz mehr.

Ich habe nur noch unten »H. D. L.« daruntergeschrieben. Das schreiben Jul und ihre Brieffreundinnen auch immer. Es heißt »Hab dich lieb«. Man kann auch »H. D. G. D. L.« schreiben (das heißt: »Hab dich ganz doll lieb«) oder »H. D. G. G. G. G. G. G. G. D. L.« (Das heißt: »Hab dich ganz, ganz, ganz, ganz, ganz, ganz, ganz doll lieb.«) Man kann auch noch mehr G.s schreiben. Aber ich habe nicht gewusst, ob das für eine Bäckersfrau geht.

Mama hatte keine Briefmarke mehr. Sie hat gesagt, sie kann die Karte gerne persönlich abgeben, wenn sie morgen Brot kauft.

Aber da bin ich ziemlich böse geworden. Ich finde, Post muss mit der Post kommen.

Darum bin ich noch mal schnell zu Tieneke geflitzt (eigentlich

sollte ich endlich Hausaufgaben
machen, weil es doch schon
gleich Abendbrot gab), und sie
hat gesagt, ihre Mutter hat im
Wohnzimmer in einer Schublade
immer Briefmarken liegen.

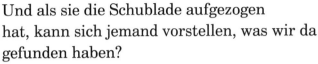

Und als sie die Schublade aufgezogen
hat, kann sich jemand vorstellen, was wir da
gefunden haben?

Den Schlüssel vom Kaninchenkäfig!

Tienekes Mutter hat gesagt, ach du je, natürlich, das hatte sie
ja ganz vergessen! Wahrscheinlich hat sie ihn gestern aus Versehen in die Schublade gelegt, als sie überall nach ihrem Bril-
lenetui gesucht hat. Da war sie vorher gerade bei den Kaninchen gewesen.

Man stelle sich vor, dass eine Mutter so tüdelig ist! Sie hat sich
aber viele Male entschuldigt.

Tieneke hat mir eine Briefmarke gegeben, und dann haben wir
die Karte noch zusammen zum Briefkasten gebracht.

Auf dem Weg hat Tieneke mich angestoßen. »Gibt es keine
Bratkartoffeln mehr?«, hat sie gefragt. »Verdammter Sauladen!«

Ich musste so lachen, dass ich zuerst gar nicht antworten
konnte. »Wo bleibt das Frühstück?«, habe ich gerufen.

Gerade als Tieneke so ganz schmusig gesagt hat »Gib Mama
einen dicken Schmatz!«, ist Vincent auf seinem Fahrrad vorbeigekommen.

»Weiber!«, hat er gemurmelt.

Vielleicht hat er gedacht, dass Tieneke von mir geküsst werden wollte! Da mussten wir den ganzen Weg bis zum Briefkasten lachen.

Weil es im Herbst immer so früh dunkel wird, war es schon ganz schummrig, als wir zurückgegangen sind. Tieneke hat mich gefragt, ob ich finde, dass wir schon zu alt sind zum Laternelaufen.

Ich habe gesagt, dass ich das nicht finde.

Da haben wir uns für den nächsten Abend verabredet. Fritzi und Jul wollten wir auch noch Bescheid sagen und vielleicht auch den Jungs.

Ich bin richtig zufrieden nach Hause gegangen.

12

Wir gehen Laterne laufen

Am nächsten Tag hat Mama mir beim Mittagessen erzählt, dass sie der Bäckersfrau beim Einkaufen gesagt hat, dass sie Post von mir kriegt. Die Bäckersfrau hat sich sehr gefreut und Mama eine Tüte Gebäckbruch für mich mitgegeben. Das sind Kuchen, die man nicht mehr verkaufen kann, weil eine Ecke abgebrochen ist. Aber sie schmecken trotzdem noch gut.
Da hab ich mich gefreut, dass mein Luftballon nicht bis Afrika geflogen war. Ich finde, eine Brieffreundin ist immer gut, aber eine Brieffreundin, von der man Kuchen kriegt, ist noch besser. Ich bin also zu Tieneke geflitzt, und dann haben wir uns die beiden besten Kuchen rausgesucht.
Es gab eine kaputte Streuselschnecke und einen etwas zermatschten Obstkuchen und drei Schokokekse und einen Hanseaten, von dem die halbe weiße Seite abgebrochen war. (Hanseaten sind meine aller-, allerliebsten Kuchen. Das sind ja so rosa-weiße Riesenkekse. Ich glaube nicht, dass es auf der Welt irgendwelche Kuchen gibt, die besser schmecken.)
Tieneke hat die Streuselschnecke genommen und ich den Hanseaten, und dann haben wir die Schokokekse und den zer-

matschten Obstkuchen auch noch gegessen. Zuerst wollten wir sie für Fritzi und Jul aufheben, aber Tieneke hat gesagt, wenn sie hören, dass wir eine Streuselschnecke und einen Hanseaten hatten, und sie kriegen nur kaputte Schokokekse und ein Stück zermatschten Obstkuchen, sind sie bestimmt sowieso eingeschnappt. Da können wir die Kekse auch gleich selber essen.

Wir sind aber trotzdem zu Fritzi und Jul gegangen, um sie zu fragen, ob sie am Abend mit Laterne laufen wollten.

Fritzi wollte gerne, aber Jul hat gesagt, wenn man schon in die fünfte Klasse geht, ist Laternelaufen Babykram.

Vincent hat das auch gesagt, aber Laurin wollte gerne mitkommen. Da haben wir uns für sieben Uhr verabredet.

Ich finde Laternelaufen so schön und so gemütlich. Ich habe eine ganz, ganz alte Laterne, die hatte ich schon, als ich in der ersten Klasse war. Ich passe ja immer auf, dass sie mir nicht abbrennt. Es ist ein riesengroßer Mond mit einem blauen und gelben Gesicht, der lacht. Tienekes Laterne ist rosa mit Seidentroddeln unten dran. Sie ist chinesisch. Und Fritzi hat eine lustige Laterne, die ist eine grüne Kugel und hat oben einen Pappkopf und unten Pappbeine. Sie soll ein Frosch sein.

Als ich mit Mama im Keller nach meiner Laterne gesucht habe, ist Petja auch gekommen und hat gefragt, ob wir nicht noch irgendwo Fackeln haben. Laternen sind Babykram, aber mit Fackeln kann man auch noch laufen, wenn man schon in die fünfte Klasse geht.

Mama hat ein bisschen gesucht, und dann hat sie wirklich in einem Karton noch fünf Fackeln gefunden. Die hatte Papa im Sommer eigentlich für ein Gartenfest mitgebracht, und dann hatten wir sie ganz vergessen.

Aber jetzt konnten wir sie gut gebrauchen. Petja musste nur Löcher in Bierdeckel schneiden und die Bierdeckel über die Fackelstiele schieben, damit das heiße Wachs nicht auf die Hände tropfen konnte. Er ist gleich zum Telefon gerannt und hat Vincent Bescheid gesagt, dass er nun auch mitgeht.

Da habe ich Jul angerufen. Mit Fackeln wollte sie auch.

Mama hat gesagt, mit den Laternen würde sie uns auch alleine losziehen lassen, aber mit den Fackeln ist es ihr zu gefährlich. Da kommt sie lieber mit. Das ist sowieso besser, weil Maus dann auch mit uns Laterne laufen kann.

Wir haben uns alle vor unserer Pforte getroffen, und Petja hat mit seinem Feuerzeug die Laternenkerzen und die Fackeln angezündet. Maus hatte eine Laterne mit Glühbirne. Mama sagt, Feuer ist für ihn noch zu gefährlich.

Zuerst sind wir nur den Möwenweg entlanggegangen, und Fritzi hat angefangen, »Laterne, Laterne, Sonne, Mond und Sterne!« zu singen. Da haben Tieneke und ich auch mitgesungen. Ich finde es immer so besonders, wenn man im Dunkeln singt.

Aber Jul hat gesagt, »Laterne, Laterne« ist ein Babylied. Man kann auch andere Abendlieder singen.

Dann hat sie eins gesungen, das sie in der neuen Schule im Musikunterricht gelernt haben. Es ist aus einem Musical, das heißt »Cats«, und das Lied heißt »Moonlight«. Ich hatte es schon ganz oft im Radio gehört.

Jul hat gesagt, »Moonlight« bedeutet Mondlicht, und das passt ja, wenn man Laterne läuft.

Es ist wirklich ein sehr schönes Lied, und mir ist es beim Singen innendrin ganz warm und fast ein bisschen traurig vor Glück geworden.

»Moonlight!«, haben wir gesungen. »Lalalaaa, lala, laaalaaa!«
Weil wir nicht wussten, wie der Text weitergeht. Nicht mal Jul.
Ich finde, wir haben fast geklungen wie drei Frauen im Fernsehen. Aber die Jungs mussten uns natürlich gleich wieder
ärgern.
Als wir »Moonlight! Lalalaaa, lala, laaalaaa!« gesungen haben,
haben sie plötzlich auch gesungen. Aber nicht das Richtige.
»Moonlight! Weiber sind balla-balla!«, haben sie gesungen. Das
hat sich ja mit unserem gereimt, aber die schöne glückliche
Stimmung war kaputt. Nie können die Jungs mal ein bisschen
feierlich sein.
Es war aber nicht so schlimm, weil Petja danach gleich gesagt
hat, so, nun geht es ab in die Felder.

»Wer traut sich?«, hat er geschrien.

In den Feldern ist es nämlich so dunkel, dass man die Hand nicht vor Augen sehen kann. Da gibt es keine einzige Straßenlaterne.

Wir haben trotzdem alle geschrien, dass wir uns trauen. Mama war ja dabei.

Die Jungs sind vorausgelaufen und haben ihre Fackeln geschwenkt (und Laurin seine Laterne), und Petja hat gegrölt, dass hinter den Hecken aber hundertpro das Möwenweg-Monster lauert.

»Und das frisst hässliche kleine Weiber!«, hat Vincent geschrien. »Wartet nur, wartet!«

»Wir sind ja nicht klein!«, habe ich geschrien.

»Wir sind ja auch nicht hässlich!«, hat Tieneke geschrien.

»Haha!«, hat Jul geschrien. »Uns könnt ihr sowieso keine Angst machen, ihr Dummbacken!«

»Huaah, bruaa!«, haben die Jungs geheult, aber das fanden wir wirklich ziemlich albern. Vor so was haben wir keine Angst. Die Jungs sind einfach noch sehr kindisch.

Sie sind dann so weit vorausgelaufen, dass wir ihre Fackeln überhaupt nicht mehr sehen konnten (Laurins Laterne auch nicht), und Jul hat gesagt, wenn *wir sie* nicht mehr *sehen* können, können *sie uns* auch nicht mehr *hören*. Darum können wir ruhig wieder singen.

Wir haben also wieder »Moonlight!« gesungen, und ich habe gedacht, dass ich später vielleicht mal Sängerin werde. Mama sagt, ich habe eine hübsche Stimme.

Gerade als mir wieder so glücklich und so feierlich geworden war, hat mich plötzlich etwas von hinten an der Schulter gepackt.

»Tod und Verderben, hässliches kleines Weib!«, hat eine Stimme gebrüllt.

Ich habe vor lauter Schreck meine Laterne fallen lassen. »Mama!«, habe ich geschrien.

»Das Möwenweg-Monster ist endlich erschienen!«, hat eine andere Stimme gebrüllt, und das war die von Vincent, und dann haben alle drei Jungs angefangen, so zu lachen, dass wirklich kein Mensch mehr Angst haben konnte.

Natürlich waren es die Jungs, die uns hinter der Hecke aufgelauert hatten. Sie waren uns gar nicht so weit vorausgelaufen. Sie hatten nur so getan. Und dann hatten sie ihre Fackeln gelöscht und sich versteckt, um uns zu erschrecken.

Dass sie sich das getraut haben! Wo es doch so fürchterlich, fürchterlich dunkel war!

»Ihr Idioten!«, hat Jul geschrien. Fritzi hatte ihre Laterne nämlich vor Schreck auch fallen lassen, und jetzt lag sie auf dem Feldweg im Matsch und ist verbrannt.

Immer müssen die Jungs solchen Blödsinn machen!

Aber Mama hat gesagt, es ist ja nichts Schlimmes passiert. Ein bisschen Gruseln gehört zum Laternelaufen dazu, wenn man schon so groß ist wie wir. Aber wenn wir wieder zu Hause sind, muss Petja Fritzi seine alte Laterne schenken.

Jul hat geflüstert, dass sie sich trotzdem an diesen blöden Idioten rächen will, und das wollten Tieneke und ich auch. Wir haben die rechte Hand gehoben und geschworen, dass wir uns rächen, so wahr uns Gott helfe. Das sagt man, wenn man schwört. Ich habe es im Fernsehen gesehen. Auf dem ganzen Weg nach Hause zurück haben wir darüber geredet, wie wir die Jungs erschrecken können. Da bin ich sehr zufrieden gewesen. Mama und Maus haben noch ein paar Laternelieder gesungen, und ich habe »Moonlight« gesummt. Der Mond war sehr groß und weiß und fast ganz rund, und ich habe Tieneke zugeflüstert, dass wir morgen ja wieder Laterne laufen können. Und dann erschrecken wir die Jungs. Aber richtig.

Tieneke hat geflüstert, okay. Dann waren wir leider schon wieder zu Hause.

13

Im November habe ich Geburtstag

Nun will ich von meinem neunten Geburtstag erzählen.

Petja sagt, wenn man so spät im November Geburtstag hat, ist das nicht so gut. Man kann kein Gartenfest feiern und keine Spiele draußen machen, und meistens regnet es auch und ist kalt.

Aber ich finde, das macht überhaupt nichts. Wenn man im November Geburtstag hat, freuen sich alle Kinder viel mehr über die Einladung als im Sommer. Weil man im November ja sonst nicht so viel Gutes machen kann.

Darum habe ich es auch nicht nett von Mama gefunden, dass ich nur neun Gäste einladen durfte. »Neunter Geburtstag, neun Gäste«, hat Mama gesagt. »Ich finde wirklich, das reicht.« Ich habe das aber nicht gefunden. Wenn ich Tieneke und Fritzi und Jul und Vincent und Laurin und Petja einlade (Maus zählt nicht), bleiben ja nur noch drei andere Gäste übrig. Und in meiner Klasse sind eigentlich viel mehr Nette.

Ich habe Mama gefragt, ob ich Petja als richtigen Gast zählen muss, weil er ja eigentlich nur mein Bruder ist. Mama hat gesagt, ich muss.

Mama hat mir bei den Einladungen geholfen. Wir haben sie am Computer gemacht.

Eigentlich kann ich das längst alleine. Ich kann einschalten und das Schreibprogramm aufrufen und schreiben und ausdrucken. Aber jetzt wollte ich auch noch gerne Bilder dazu haben, und da wusste ich nicht so richtig, wie das geht.

Zuerst habe ich in einer ganz lustigen Schrift in Rot geschrieben:

Liebe(r)

Zu meiner Geburtstagsfeier am 27. November um 15 Uhr lade ich Dich herzlich ein.

Deine

PS: Bitte bring gute Laune mit!

»Bitte bring gute Laune mit!« hatte Jul im Sommer auch auf ihre Einladung geschrieben, darum war es auf meiner vielleicht ein klitzekleines bisschen nachgemacht. Aber ich musste es trotzdem schreiben. Weil ich ja *wollte*, dass alle gute Laune mitbringen.

Zum Schluss habe ich einen Kuchen mit Kerzen auf die Einladung gedruckt und eine Sektflasche, da knallt gerade der Korken (dabei trinken wir an meinem Geburtstag natürlich keinen Sekt. Aber Sektflaschen sind immer so festlich), und ein Känguru mit Hut.

Mama hat gefragt, was das Känguru auf meiner Geburtstagseinladung soll. Ich habe gesagt, es sieht lustig aus, und das soll es da.

Als ich auf allen Einladungen hinter »Liebe(r)« noch die Namen geschrieben hatte und unterschrieben auch, hab ich bei Tieneke geklingelt. Zusammen macht es ja noch mehr Spaß, wenn man Einladungen verteilt.

Wir sind also zu Fritzis und Juls Haus gegangen und zu Vincents und Laurins Haus. Wir haben aber nicht geklingelt. Wir haben die Einladungen einfach in die Kästen geworfen. Wenn man klingelt und die Einladung abgibt, braucht man ja gar keine geschriebene Einladung, finde ich. Da kann man es ja gleich einfach *sagen*.

Danach sind wir in den Ort gegangen und haben die Einladungen bei Maike und Carolin und Kiki eingeworfen. Zum Glück hat uns keiner beobachtet. Sonst ist es ja keine Überraschung mehr.

Zuletzt war nur noch Petjas Einladung übrig, und darum sind wir wieder nach Hause zurückgegangen. Im Möwenweg waren gerade Straßenbauarbeiter und haben endlich unsere Straße asphaltiert. Papa hat gesagt, es ist ein Segen, dass das noch vor dem Winter passiert. *Ein* Winter im Matsch hat ihm genügt.

Mir hat der Winter im Matsch aber gut gefallen. Tieneke auch, hat sie gesagt. Und den Jungs ja sowieso.

Natürlich hat Maus den Arbeitern zugeguckt. Ein Mann hatte so ein lautes Wummerding, damit hat er immer auf die Gehwegplatten gedonnert. Der Mann hatte Ohrenschützer auf.

Maus hat ganz glücklich ausgesehen.

»Ist dir das nicht zu laut, Maus?«, habe ich gebrüllt.

Maus hat ganz erstaunt geguckt.

»Ich helf dem ja!«, hat er gesagt.

Tieneke hat sich an die Stirn getippt.

»Tu ich wohl!«, hat Maus geschrien. »Tu ich wohl, du Puparsch!«

Zum Glück hat Mama ihn nicht gehört.

Petjas Einladung hab ich auch einfach in unseren Briefkasten geworfen.

»Willst du nicht mal gucken, ob Post für dich da ist?«, hab ich gefragt, als Petja mit Vincent vom Judo gekommen ist.

Da hat Petja gesagt, keine Chance. Er schreibt sich nicht mit alten Bäckersfrauen, wie das ja gewisse andere Leute in unserem Haus tun, deren Namen er nicht nennen will. Ich hab aber trotzdem gewusst, dass er mich meint.

Dann war Petja aber doch neugierig. Als Vincent und er mit der Einladung in die Küche gekommen sind, hat Petja sich tief vor mir verneigt.

»Thank you!«, hat er gesagt. (Er muss ja immer mit seinem Englisch angeben.) »Muss man im Frack kommen?«

»Natürlich muss man das!«, hat Vincent gesagt. »Du siehst doch, dass es ein Gala-Empfang ist! Schließlich gibt es Sekt! Und leckeren Kängurubraten!«

»Hmmm! Leckeren Kängurubraten!«, hat Petja gesagt und sich den Bauch gerieben. »Dafür zieh ich gerne meinen Frack an.« Er hat aber natürlich gar keinen Frack. Er wollte mich nur ärgern.

Petja und Vincent sind dann nach oben in Petjas Zimmer gegangen, und ich habe meine Hausaufgaben gemacht. In Sachkunde mussten wir alle Kreise und Kreisstädte auswendig lernen, und Mama hatte gerade angefangen, mich abzufragen, da hat es an der Haustür geklingelt.

Mama ist hingegangen, und ich habe kurz in meinem Heft geluschert, dass die Kreisstadt von Stormarn Bad Oldesloe heißt. Im Windfang hat Maus ganz aufgeregt gebrüllt.

»Hab ich geschenkt gekriegt!«, hat Maus gerufen. »Von den Männern!«

»Nein!«, hat Mama gesagt.

»Haben sie extra für mich hergeschleppt!«, hat Maus gerufen. »Der gehört aber mir, du!«

Da bin ich auch neugierig geworden. Ich hab noch einmal »Stormarn – Bad Oldesloe« gesagt und bin auch in den Windfang geflitzt. Ich wollte sehen, was Maus von den Männern geschenkt gekriegt hatte.

Und da lag vor unserer Haustür doch tatsächlich so ein riesiger Betonring wie die, in die auf der Straße die Gullydeckel eingelassen werden. Am Rand war ein Stück abgeschlagen, darum konnten die Bauarbeiter ihn nicht mehr brauchen.

Aber wir konnten ihn doch auch nicht brauchen! Wir haben ja keinen Gully in unserem Garten (zum Glück).

Beim Abendbrot hat Papa zu Maus gesagt, dass er sich nicht einfach von fremden Männern Sachen schenken lassen darf. So

leicht werden wir so ein riesiges Stück Bauschutt nicht wieder los.

Mama hat gesagt, zur Not können wir den Ring im Frühling anmalen und Erde reinfüllen und Blumen reinpflanzen. Ich habe gesagt, dass ich das gerne für Mama machen will. Ich finde es so schön, wenn man im Garten Blumen pflanzt.

»Aber der gehört mir, du!«, hat Maus gesagt. »Gehört der wohl!«

Ich weiß nicht, warum Maus immer so dumme Sachen macht. Ich habe nicht so viele dumme Sachen gemacht, als ich klein war, das weiß ich genau.

Am nächsten Morgen in der Schule haben Maike und Carolin und Kiki sich für ihre Einladungen bedankt.

»Was machen wir denn an deinem Geburtstag?«, hat Kiki gefragt.

An Kikis Geburtstag haben wir T-Shirts gebatikt, und an Carolins Geburtstag haben wir Leinenbeutel bemalt. Bei Maike war ich noch nicht eingeladen.

Da habe ich ganz geheimnisvoll getan.

»Das ist eine Überraschung!«, habe ich gesagt.

Aber auf dem Nachhauseweg habe ich Tieneke erzählt, dass Mama und ich uns noch gar keine Gedanken darüber gemacht hatten, was wir an meinem Geburtstag Besonderes tun konnten. Tieneke hat gesagt, oha, das ist schlecht.

Beim Mittagessen habe ich Mama vorgeschlagen, dass wir mit allen Gästen zum Kegeln gehen können. Oder zum Schwimmen.

Aber Mama hat gesagt, so reich sind wir nun auch nicht. Bestimmt wird es ein schöner Geburtstag, auch wenn wir uns vorher nicht die Köpfe zergrübeln. Kindern fällt doch immer was ein.

Da bin ich ein bisschen böse auf Mama gewesen.

Als Tieneke am Nachmittag zum Spielen gekommen ist, habe ich ihr davon erzählt, und Tieneke hat vorgeschlagen, dass wir eine Liste schreiben können mit allen Sachen, die bei einer Geburtstagsfeier lustig sind.

Das habe ich eine gute Idee gefunden. Tieneke und ich mögen immer so gerne Listen schreiben.

Also haben wir Topfschlagen aufgeschrieben und Apfelbeißen und Wattepusten und »Reise nach Jerusalem« und Verkleiden. Zum Schluss ist uns noch Grusel-Verstecken eingefallen.

Da habe ich mich wieder richtig gut gefühlt, weil ich gewusst habe, es wird bestimmt ein schöner Geburtstag. Verkleiden und Grusel-Verstecken findet ja jeder gut.

Am Nachmittag vor meinem Geburtstag ist Mama mit Petja und Maus in der Küche verschwunden, und ich durfte nicht reinkommen.

»Es ist ein Geheimnis!«, hat Mama gesagt.

Ich habe sowieso gewusst, dass sie zusammen einen Geburtstagskuchen für mich backen, weil sie das in jedem Jahr tun. Und man kann es auch riechen. Wenn die Form im Ofen ist, riecht es immer so gut. Wir haben eine Kuchenform, die sieht aus wie ein Elefant, und in der backen wir alle Geburtstags-

kuchen. Und hinterher kriegt der Elefant einen schönen Schokoladenguss.

»Elefanten sind aber nicht schwarz!«, habe ich bei meinem letzten Geburtstag gesagt.

»Das ist ein *afrikanischer* Elefant«, hat Petja gesagt. »In Afrika sind alle immer schwarz.«

Darum wusste ich also genau, was Mama und Petja und Maus in der Küche gemacht haben.

»Aber nicht luschern!«, hat Maus ganz streng gesagt. »Sonst siehst du ja, dass wir einen Kuchen für dich backen!«

»Blödmann!«, hat Petja gesagt und Maus ein bisschen geboxt. Ich habe aber so getan, als ob ich gar nichts gehört hätte. Ich finde es ja selber so schön, dass das Kuchenbacken ein Geheimnis ist. Mir wird dann immer ganz kribbelig im Bauch. Wenn in der Küche mein Kuchen gebacken wird, weiß ich genau, dass nun bald wirklich Geburtstag ist.

An meinem neunten Geburtstag bin ich ganz früh aufgewacht und habe gewartet, dass Mama und Papa und Petja und Maus kommen und mich wecken sollten. Als Mamas Wecker endlich geklingelt hat, hab ich meine Augen ganz, ganz fest zugemacht und sogar ein bisschen geschnarcht (aber nicht doll). Es hat aber noch eine Weile gedauert, bis Mama Papa geweckt hatte und auch noch Petja und Maus und bis sie die Kerzen auf dem Geburtstagskuchen angezündet hatten.

Ich habe gehört, wie sie vor meiner Zimmertür geflüstert haben, und dann ist die Tür aufgeflogen, und sie haben alle vier fast gleichzeitig »Wie schön, dass du geboren bist!« gesungen. Das singen wir bei Geburtstagen immer, und das muss auch so sein. Ohne Kuchen und Kerzen und Lied kann ein Geburtstag gar kein richtiger Geburtstag sein, finde ich. Obwohl Papa leider sehr, sehr falsch singt. Aber das muss am Geburtstag auch so sein.

Als Mama und Papa und Petja und Maus fertig waren mit dem Lied, hab ich ganz, ganz langsam die Augen aufgeschlagen und so getan, als ob ich gar nicht weiß, was los ist, und Mama hat mir einen Kuss gegeben und gesagt: »Guten Morgen, Geburtstagsmädchen! Jetzt bist du schon neun Jahre alt!«

»Bald kriegt sie graue Haare«, hat Petja gesagt. »O ja, da, guck mal, ein graues Haar!«

»Wo? Wo, Petja, sag mal?«, hat Maus geschrien.

»Siehst du das nicht?«, hat Petja gesagt. »Tara sieht echt schon fast aus wie eine Oma!« Ich habe doch gesagt, dass die Jungs es nicht mal eine winzige Sekunde lang aushalten können, wenn es feierlich ist!

»Du musst die Kerzen auspusten, alte Oma!«, hat Maus geschrien und ist immer auf und ab gehüpft. Dabei ist ihm seine Schlafanzughose auf die Füße runtergerutscht. Das hat ihn aber gar nicht gestört. Den Schlafanzug hatten Petja und ich auch schon, darum ist das Gummi nicht mehr so gut.

Ich habe ganz, ganz tief Luft geholt, und wirklich, da habe ich alle Kerzen mit einem einzigen Puster ausgekriegt. Das muss man ja. Es bringt Glück.

»Findest du den Kuchen schön?«, hat Maus gerufen und die

Hose wieder hochgezogen. (Es war wirklich ein schwarzer Elefantenkuchen. Sonst könnte ich mich aber auch nicht geburtstäglich fühlen.) »Ich hab den gemacht! Ich und Mama!«

»Der ist sehr schön geworden, Maus«, hab ich gesagt. Aber dann musste ich ins Wohnzimmer flitzen und meine Geschenke angucken.

Und ich habe so viele schöne Sachen gekriegt! Dabei müssen wir doch sparen. Weil wir das Haus ja erst ganz neu gekauft haben.

Ich habe gekriegt:

einen Tacho für mein Fahrrad und ganz, ganz süße Ohrringe mit einem Zettel dran, dass ich mir Ohrlöcher stechen lassen darf, und eine Kulturtasche mit hellblauen Streifen, die sind so hell, dass sie fast unsichtbar sind, und ein Schminktäschchen dazu und schöne Stifte (weil Tieneke und ich schöne Stifte sammeln) und ein Buch aus meiner Lieblingsserie und zwei Kassetten und so schönes Briefpapier, dass ich vielleicht gar nicht darauf schreiben mag. Auf jedem Bogen ist ein großes Foto von einer Pferdeweide, aber nur ganz zart. (Wie die Bilder auf alten T-Shirts, die man von jemand anders geerbt hat, wenn sie schon viele, viele Male gewaschen sind.) Wenn man auf dem Papier schreiben will, muss man über die Pferde drüberschreiben. Das finde ich schade. Die Umschläge sehen genauso aus. Mama sagt, wenn ich doch jetzt eine Brieffreundin habe, brauche ich auch Briefpapier.

Und von meiner Brieffreundin habe ich sogar auch ein Geschenk gekriegt! Mama hatte ihr in der letzten Woche erzählt, dass ich Geburtstag habe, und da hatte sie Mama gestern eine puppenkleine Torte mitgegeben, auf der ist oben eine Marzipanrose drauf und eine Neun (auch aus Marzipan). Die Torte ist so schön, dass ich sie bestimmt niemals in meinem ganzen Leben essen werde.

Kleidung habe ich auch noch gekriegt. Die kriegt man ja immer. Aber als richtiges Geschenk zählt sie nicht, finde ich. Unterwäsche und Socken und ein grünes Nachthemd. So was braucht man ja sowieso.

14

Was an meinem Geburtstag alles passiert ist

Als Tieneke mich an meinem Geburtstag zur Schule abgeholt hat, hat sie mir auch ein minikleines Päckchen mitgebracht. Darin war ein winziger Schreibblock mit dem aller-, allerwinzigsten Stift. Der Stift war so niedlich.

Tieneke hat gesagt, es ist nur ein Vorgeschenk. Das richtige Geschenk kommt erst am Nachmittag bei meiner Feier.

In der Schule hat Frau Streng unsere Geburtstagskerze angezündet, und alle Kinder haben »Happy Birthday« für mich gesungen. Dann hat Frau Streng mir auch ein kleines Päckchen gegeben (ich wusste, dass ein Radiergummi und ein Anspitzer drin sind. Das kriegen alle) und eine kleine Rede gehalten, dass sie mir für mein neues Lebensjahr alles Gute wünscht. Das macht sie immer.

Danach rufen alle Kinder: »Wir gra-tu-lie-ren!«

Ist Geburtstag nicht schön? Ich finde, Geburtstage sind so schön, dass man es kaum aushalten kann. Jedes Jahr muss ich wieder nachdenken, ob ich Geburtstag oder Weihnachten schöner finde. Am Geburtstag finde ich Geburtstag schöner. Und Weihnachten finde ich Weihnachten schöner.

Als ich nach Hause gekommen bin, hatte ich aber doch ein bisschen Angst. Weil ich doch noch gar nicht wusste, was wir bei meiner Feier machen wollten!

Mama hatte unseren Esstisch ausgezogen und eine weiße Papierdecke draufgelegt und Konfetti zwischen die Teller und Gläser gestreut und die Servietten zu so süßen Puschelblüten gefaltet.

»Gefällt es dir?«, hat sie gefragt.

Sie hatte Schokoküsse gekauft und Baisers und Löffelbiskuits und Buchstabenkekse. Das sind meine Lieblingskekse. Ich habe mir gleich ein T und zwei As und ein R rausgefischt. Damit mir die nachher niemand wegklaut.

An meinem Platz stand eine Vase mit lauter rosa Röschen. Damit man sehen konnte, wo das Geburtstagskind sitzt. Mama weiß ja, dass rosa Röschen meine Lieblingsblumen sind.

Tieneke ist als Erste gekommen. Ich war so aufgeregt, dass ich noch nicht mal ihr Geschenk auspacken mochte.

Aber danach haben schon gleich die anderen geklingelt. Maike und Carolin und Kiki sind zusammen gekommen. Kiki war noch nie bei mir gewesen. Sie hat gesagt, dass sie unser Haus sehr schön findet. Das war doch nett von ihr.

Als Jul und Fritzi und Vincent und Laurin auch da waren, haben wir uns an den Tisch gesetzt, und Mama hat gefragt, wer Cola will und wer O-Saft. Carolin wollte nur Selter, weil sie Diabetes hat. Darum musste Sie auch ausrechnen, was sie essen durfte. Sie hat aber gesagt, das macht nichts. Sie ist daran gewöhnt.

Mama hat gesagt, nun muss sie uns noch etwas Sonderbares erzählen. Ein alter, alter Zauberer hat nämlich in einen Kuchen eine Erbse gezaubert. Und wer die findet, darf bestimmen, welches Spiel als Erstes gespielt werden soll.

War das nicht eine lustige Idee? Natürlich gibt es keine alten Zauberer, aber wir haben trotzdem alle ganz schnell geguckt, ob die Erbse in unserem Kuchen war. Ich hätte mir ja denken können, dass Petja sie finden würde! Sie war in seinem Schokokuss versteckt, und er hat draufgebissen.

»Das ist ja lebensgefährlich!«, hat er gesagt. »Da wäre mir ja fast ein Zahn rausgefallen!«

Petja hat gesagt, er will als Erstes die »Reise nach Jerusalem«. Darum mussten wir den Esstisch zur Seite räumen (wir haben Mama aber vorher noch beim Abdecken geholfen) und die Stühle in zwei Reihen mit dem Rücken zueinander aufstellen, und dann haben wir noch einen gebraucht, der immer »Stopp!« ruft, wenn man sich hinsetzen soll.

Mama hat gesagt, sie macht es.

Ich bin immer so aufgeregt, wenn ich »Reise nach Jerusalem« spiele, dass ich mich vor lauter Aufregung nicht entscheiden kann, auf welchen Stuhl ich mich setzen will. Darum bin ich auch ganz früh rausgeflogen. Aber das macht nichts. Es war trotzdem lustig.

Einmal hat Jul gewonnen und einmal Petja und einmal Carolin und dann noch mal Petja. Maus war immer der Erste, der ausgeschieden ist. (Mama hat gesagt, zu Anfang muss ich ihn ein bisschen mitmachen lassen. Nachher holt sie ihn zu sich in die Küche.)

Als wir fertig waren mit der »Reise nach Jerusalem«, habe ich die Liste geholt, die Tieneke und ich geschrieben hatten, und wir haben abgestimmt, was wir spielen wollten.

Alle wollten als Erstes Verkleiden spielen. Wir haben im Keller einen alten Bettbezug, der ist unsere Verkleidungskiste. Obwohl er ja keine Kiste ist. Man sagt es nur so.

Da sind alle unsere komischen Hüte drin und eine Brille, an der unten ein Bart hängt, und ganz, ganz viele alte Anziehsachen, die keiner mehr tragen will. Aber zum Verkleiden sind sie noch gut.

Ich finde, dass Verkleiden fast das Lustigste ist, was man spielen kann. Vincent hat sich gleich ein altes Blümchenkleid rausgesucht, und da hat sich Petja ein Spaghettiträgerkleid genommen. Und Laurin einen Faltenrock.

»Hach, meine Liebe, Sie sehen ja wieder ganz bezaubernd aus heute!«, hat Petja zu Vincent gesagt.

»Sie aber auch, meine Liebe!«, hat Vincent gesagt. »Und Ihre reizenden Schuhe passen ja ganz reizend zu dem reizenden Kleid!«

Da haben wir alle auf Petjas Füße geguckt, und da hatte er natürlich noch seine alten Turnschuhe an. Die sahen zu dem Spaghettiträgerkleid ein bisschen komisch aus.

Wir haben Mama gefragt, ob wir ihre Schuhe ausleihen dürfen, und sie hat gesagt, wenn wir versprechen, vorsichtig zu sein.

Dann hat sie uns sogar noch ihre Schminktasche ausgeliehen. Richtige Stöckelschuhe hat Mama nicht, aber Vincent und Petja haben sich die stöckeligsten ausgesucht, und dann haben sie noch beide zwei Äpfel aus dem Vorratskeller oben in ihre Kleider gesteckt, damit es aussehen sollte wie ein Busen.

»Hach, meine Gnädigste, wenn ich ein Mann wäre, würde ich mich ja glatt in Sie verlieben, Sie Teufelsweib!«, hat Vincent zu Petja gesagt und ist immer so vornehm hin und her gestöckelt. Das war doch lustig, weil Vincent ja in Wirklichkeit ein Mann *ist*. Wenigstens ein Junge.

»Und wenn ich ein Mann wäre, würde ich mich in *Sie* verlieben, Sie Teufelsweib!«, hat Petja gesagt. Er hat Vincent einen Kuss

zugeworfen, und dabei ist ihm ein Apfel aus seinem Kleid ge-
kullert.

»Scheiße, mein Busen ist runtergefallen!«, hat Petja gebrüllt.
Da mussten wir alle so lachen, dass wir mit unseren eigenen
Verkleidungen gar nicht mehr weitermachen konnten.

Wir Mädchen haben uns natürlich als Männer verkleidet. Zum
Glück haben wir noch viele alte Sachen von meinem toten Opa:
Anzughosen und Anzugjacken und Westen und Männerhem-
den und Schlipse.

Dann haben wir uns mit Mamas Kajalstift Bärte gemalt. Tieneke hat mir einen Schnurrbart gemalt, und ich habe Tieneke
und Carolin einen Stoppelbart gemalt, und Jul hat Fritzi einen
Vollbart gemalt.

Kiki hatte die Brille aufgesetzt, an der der Plastikbart hing,
und Jul wollte keinen Bart, und Maike hatte mein altes Tiger-
Faschingskostüm angezogen.

»Miau!«, hat sie gesagt.

Da habe ich gesagt, dass sie ja meine Katze sein kann und ich bin ein netter alter Herr mit Schnurrbart. Dann sind wir zu Mama in die Küche gegangen, um sie zu überraschen.

Fräulein Petja hat Herrn Tieneke eingehakt und Fräulein Vincent Herrn Fritzi und Fräulein Laurin Herrn Kiki. Jul und Carolin und ich hatten keine Frauen, aber dafür hatte ich ja die Katze Maike.

»Um Himmels willen, was kommt denn da für eine Gesellschaft?«, hat Mama gerufen, als wir an die Küchentür geklopft haben. Sie hat gerade lauter niedliche kleine Brote für unser Abendbrot gestrichen.

»Du meine Güte! Sind Sie etwa lauter neue Nachbarn? Wollen Sie sich mir nicht vorstellen?«

»*Wir* sind das doch nur!«, hat Fritzi geschrien.

»Miau!«, hat Maike gesagt. In dem Augenblick hat es an unserer Haustür geklingelt.

»Uuups!«, habe ich gesagt. Ich wusste nicht, ob es mir vielleicht peinlich war, wenn mich andere Leute mit meinem Schminkebart sehen konnten.

Aber Petja ist ja überhaupt nichts peinlich. Er ist zur Tür gestöckelt und hat sie ganz weit aufgerissen.

»Hereinspaziert!«, hat er gerufen.

Vor der Tür stand Opa Kleefeld.

»Ach du jemine!«, hat er gesagt. »Tara, bist du das? Du hast dich aber verändert!«

»Ich bin doch die neue Haushaltshilfe!«, hat Petja mit einer komischen hohen Stimme geflötet. Ich bin ganz schnell zur Tür gelaufen.

»*Ich* bin doch Tara, Opa Kleefeld!«, habe ich gerufen.

»Tatsächlich?«, hat Opa Kleefeld gesagt und sich an der Stirn gekratzt. »Hattest du schon immer einen Bart?«

»Der ist doch nur angemalt!«, hat Fritzi geschrien. »Guck, ich hab auch einen!«

Opa Kleefeld hat geseufzt und gesagt, du meine Güte, hier erlebt man als alter Mann aber auch ständig neue Überraschungen. Eigentlich wollte er ja nur sein Geburtstagsgeschenk für eine gewisse Tara abgeben, aber nun nimmt er es doch vielleicht besser wieder mit. Weil er ja gar nicht sicher sein kann, wer die gewisse Tara eigentlich ist.

»Ich bin das wirklich, Opa Kleefeld!«, habe ich gesagt. »Erkennst du mich nicht?«

Und die anderen haben auch alle gesagt, dass ich die gewisse Tara bin.

Da hat Opa Kleefeld gesagt, na gut, dann glaubt er uns.

Und das war auch ein Glück. Weil er so ein schönes Geburtstagsgeschenk für mich hatte! Ich glaube, es ist das allerschönste von allen Geschenken, die ich zu meinem Geburtstag gekriegt habe.

Opa Kleefeld hatte mir aus Holz selber eine kleine Schubkarre gebaut, die hatte er grün und rot angestrichen. Dann hatte er mit goldener Farbe lauter Verzierungen draufgemalt. Es sollte aber keine Schubkarre für den Garten sein, sondern ein Blumenständer für mein Zimmer! Ein kleiner Blumentopf stand schon drin, und Opa Kleefeld hat gesagt, wenn ich will, kann ich von Oma Kleefeld noch viel mehr Ableger kriegen.

Ist das nicht schön? Ich kenne niemanden, der so eine niedliche Schubkarre für seine Blumentöpfe hat. Am liebsten hätte ich Opa Kleefeld einen Kuss gegeben. Aber das mache ich nicht bei fremden Männern.

Wir haben die Schubkarre bewundert, und Mama hat Opa Kleefeld gefragt, ob er vielleicht ein Stück Kuchen haben möchte. Er wollte aber nicht. Er hat gesagt, er muss schnell wieder nach Hause, sonst schimpft sein Chef. Das sagt Opa Kleefeld immer. Sein Chef ist Oma Kleefeld.

Als Opa Kleefeld gegangen war, haben wir überlegt, ob wir vielleicht Blumen-

geschäft spielen sollten. Aber Kiki und Jul hatten keine Lust und Petja sowieso nicht. Da habe ich gesagt, na gut, dann können wir jetzt auch gleich Grusel-Verstecken spielen. Es war ja schon fast dunkel.

Wenn man Grusel-Verstecken spielen will, ist es gut, wenn man im November Geburtstag hat. Es muss ja dunkel sein, und im Sommer wird es das immer erst so spät. Aber an meinem Geburtstag geht es gut.

Wir haben in allen Zimmern das Licht ausgeschaltet und die Vorhänge vorgezogen und die Rollos runtergerollt. Petja hat gesagt, alle Räume gelten, auch der Keller. Dann haben wir abgezählt, wer suchen musste.

Wir haben so abgezählt:

>*Meck-meck, mäh-mäh, wieher, muh:*
Ziege, Schaf und Pferd und Kuh.
Wau, miau und piep im Haus:
Wen ich ticke, der ist raus!«

Am Ende ist Kiki übrig geblieben, und das war ja gut, weil sie sich in unserem Haus nicht auskennt. Da weiß sie nicht, wo die guten Verstecke sind, und dann dauert das Suchen natürlich länger.

Gerade als Kiki den Kopf an die Windfangtür gelegt hat und angefangen hat zu zählen, ist Mama gekommen. Sie hat gesagt, wir dürfen gerne Grusel-Verstecken spielen, wenn wir versprechen, dass wir dabei nicht das ganze Haus auf den Kopf stellen. Aber *ganz* dunkel darf es nicht sein, das ist zu gefährlich. Wenigstens an der Treppe muss Licht sein.

Ich habe mich mit Fritzi und Tieneke nach oben geschlichen und im Badezimmer in der Dusche versteckt. Tieneke hat sich (mit Fritzi) in meinem Zimmer unter das Bett gelegt. Da versteckt sie sich immer. Und Fritzi hat beim Grusel-Verstecken Angst, darum geht sie immer mit einem von uns mit.

Wo Jul und Carolin und Maike waren, wusste ich nicht, aber die Jungs waren alle drei in den Keller gepoltert. Da gibt es auch viele schöne Verstecke. Vor allem im Abstellkeller.

»Eins, zwei, drei, ich kom-me!«, hat Kiki gerufen, und dann konnte man hören, wie sie im Wohnzimmer herumgegangen ist und immer »Hallo? Ist da jemand?« gerufen hat.

Es ist sehr unheimlich, wenn man beim Grusel-Verstecken suchen muss. Es ist sogar noch unheimlicher, als wenn man sich im Dunkeln versteckt. Man weiß ja nie, wo ein Versteckter hockt, und die Jungs springen auch immer ganz plötzlich aus ihren Verstecken und schreien »Buuuh!« und »Hab ich dich!«, und dann denkt man, dass man gleich einen Herzschlag kriegt. Aber das ist ja gerade das Schöne. Es ist so eine *schöne* Angst.

Als ich das Mama erzählt habe, hat sie gesagt, dass ich ein Dummerchen bin. Angst kann doch nicht schön sein. Aber die Angst beim Grusel-Verstecken *ist* schön, und darum spiel ich es auch so gerne.

Ich habe gehört, wie Kiki Maike hinter den Wohnzimmervorhängen gefunden hat, und Jul hatte sich bei Mama in der Küche unter dem Tisch versteckt. Da hatte Kiki schon ganz schnell zwei von uns.

Dann ist sie in den Keller gegangen, und da habe ich gewusst, dass es gleich laut wird. Das hat auch gestimmt. Petja und Vincent sind nämlich aus ihren Verstecken gesprungen, und Kiki hat ganz erschrocken »Hilfe!« geschrien. Dann sind die Jungs die Treppe hochgepoltert, und ich habe gehört, wie sie sich am Wohnzimmertisch abgeschlagen haben.

»Mi!«, hat Petja gebrüllt. Wenn man das sagt, muss man beim nächsten Mal nicht suchen.

Als Kiki nach oben gekommen ist, habe ich in meinem Versteck ganz, ganz still gestanden. Mein Herz hat so laut gebummert, dass ich gedacht habe, bestimmt kann Kiki es hören.

Sie hat es aber nicht gehört. Einmal ist sie sogar ins Badezimmer gekommen, aber sie hat nicht hinter den Duschvorhang geguckt.

Tieneke und Fritzi hat sie ganz leicht gefunden. Dann hat sie immer »Tari? Tara, wo bist du?« gerufen. Aber ich hab ganz mucksmäuschenstill gestanden.

Zuletzt ist Kiki noch mal ins Badezimmer gekommen. Sie hat den Vorhang zur Seite gerissen.

»Ha!«, hat sie gerufen. »Jetzt hab ich dich aber!«

Ich hab es gut gefunden, dass ich die Letzte war.

Die Nächste, die suchen musste, war Maike. Kiki hatte sie ja als Erste gefunden.

Aber als wir schon gerade wieder loslaufen und uns verstecken wollten, hat Jul plötzlich gesagt: »Wo ist eigentlich Carolin?«

»Genau, wo ist eigentlich Carolin?«, hat Maike gefragt. Und die hatten wir doch tatsächlich ganz vergessen!

Da musste Kiki also noch mal losgehen und suchen. Sie hat Carolin aber wieder nicht gefunden, und da haben wir alle »Mäuschen, mach mal Piep!« gerufen. Das sagt man ja. Aber Carolin hat nicht Piep gemacht.

»Das gildet dann aber nicht mehr!«, hat Kiki ganz böse gesagt. »Wenn sie nicht mal Piep macht!«

Das hab ich auch gefunden, und darum haben wir das Licht eingeschaltet, und alle Kinder haben mitgeholfen, Caro zu suchen. Wir haben in allen guten Verstecken nachgeguckt: im Erdgeschoss und im Keller und im ersten Stock. Aber Caro war einfach verschwunden.

»Vielleicht hat sie die Spielregeln nicht richtig verstanden«, hat Jul gesagt. »Vielleicht hat sie sich draußen versteckt.«

Aber Caros Jacke hing noch im Windfang, und ihre Schuhe standen da auch.

»Auf Strümpfen ist die nicht rausgerannt!«, hat Petja gesagt. »Wahrscheinlich hat sie der Dunkelgeist geraubt.«

Dann hat er erzählt, dass der Dunkelgeist immer kommt, wenn Kinder sich im Dunkeln verstecken. Dann sucht er sich sein Opfer und schleppt es in sein düsteres Reich.

Ich hab ja gewusst, dass das nur Quatsch ist. Aber mir ist trotzdem sehr unheimlich geworden, als ich mir vorgestellt habe, wie der Dunkelgeist Caro in sein dunkles Reich geschleppt hat. Darum bin ich in die Küche gegangen und habe Mama erzählt, dass wir Carolin nicht finden konnten.

Papa war gerade nach Hause gekommen. Er hat sich auch gewundert.

»Nanu?«, hat Papa gesagt. Er hat Mama geholfen, Papierfähnchen auf Brotschnittchen zu stecken. »Na, dann will ich mal suchen helfen.«

Aber Papa konnte Carolin auch nicht finden, und da sind wir wirklich langsam ängstlich geworden.

»Bestimmt hat sie der Dunkelgeist!«, hat Fritzi gejammert.

Mama hat gesagt, Quatsch, den gibt es nicht. Aber sie hat auch sehr unruhig ausgesehen.

Zuletzt hat Mama sich im Abstellraum ganz dünn gemacht und sich zwischen all dem Krimskrams zu unserem alten Schiebtürenschrank durchgequetscht, in dem wir die Sachen aufbewahren, die wir auf dem Flohmarkt verkaufen wollen, und als sie die Tür aufgeschoben hat, wer saß da vergnügt mit einer Taschenlampe im Schrank und hat gelesen und war kein bisschen vom Dunkelgeist weggeschleppt? Natürlich Carolin!

»Hallo«, hat sie ganz freundlich gesagt.

Wir haben sie gefragt, wieso sie nicht Piep gemacht hat, und da hat sie gesagt, sie hat uns gar nicht gehört. Sie hatte sich aus den Flohmarktsachen ein Buch ausgesucht, und das war so spannend, dass sie sich einfach die Ohren zugehalten hat, als es plötzlich so laut war.

»Ich les nur noch schnell das Kapitel zu Ende!«, hat Caro gesagt.

Kann man sich so was vorstellen? Ich finde, lesen sollte beim Grusel-Verstecken verboten sein.

Mama hat gesagt, Carolin darf das Buch gerne mit nach Hause nehmen.

Bei der nächsten Runde hat Petja sich im Schrank versteckt, aber nun kannten wir das Versteck ja. Darum hat Maike ihn blitzschnell gefunden.

Wir haben noch bis zum Abendbrot Grusel-Verstecken gespielt, und nach dem Abendbrot haben Papa und ich alle Gäste nach Hause gebracht. Ich finde es immer so schön, wenn man im Dunkeln durch die Straßen geht, und in den Fenstern ist Licht, und es sieht so gemütlich aus, als ob alle Leute in ihren Wohnzimmern sitzen und zufrieden Abendbrot essen und sich nett mit ihren Kindern unterhalten. Danach gucken sie vielleicht noch eine Quizshow im Fernsehen.

Tieneke und Fritzi und Jul wollten Maike und Caro und Kiki mit nach Hause bringen, aber am Schluss hatten wir auch die letzten Gäste abgeliefert, und da wusste ich, dass der Geburtstag jetzt zu Ende war. Es war eigentlich ein besonderer Geburtstag, finde ich. Auch wenn wir ja nichts Besonderes gemacht haben.

»Aber noch nicht gleich schlafen!«, habe ich gesagt.

Mama hat mir erlaubt, dass ich mir noch mal ganz in Ruhe alle Geschenke angucke. Aber dann musste ich doch ins Bett.

Und kann sich jemand vorstellen, was ich gefunden habe, als ich am nächsten Morgen zur Schule gehen wollte? Da hing draußen an unserer Haustür eine Plastiktüte, und als ich reingeguckt habe, lag eine Tafel Schokolade drin, auf der war ein 2-Euro-Stück festgeklebt. Und daneben lag eine Geburtstagskarte (leider war sie nicht so hübsch), auf der stand:
»Liebe Tara, zu Deinem siebten Geburtstag wünschen wir dir alles Gute. Deine Nachbarn Voisin.«
Kann man so was glauben?
Ich bin ins Haus gestürmt und habe Mama die Tüte gezeigt. (Leider war die Schokolade Kaffee-Sahne. Die mag ich nicht.) Mama hat gesagt, na bitte. Nun sind sogar Voisins nette Nachbarn geworden. Wie alt wir Kinder sind, lernen sie schon auch noch.
Habe ich nicht gesagt, dass wir es schön haben im Möwenweg? Vielleicht dürfen wir im nächsten Sommer sogar durch Voisins Garten laufen.

Kirsten Boie
Ihre schönsten Kinder- und Jugendbücher

Ab 6 Jahren

Alles ganz wunderbar weihnachtlich

Jenny ist meistens schön friedlich

Der kleine Ritter Trenk

Der kleine Ritter Trenk und
   der Große Gefährliche

Der kleine Ritter Trenk und
   das Schwein der Weisen

Der kleine Ritter Trenk und fast
   das ganze Leben im Mittelalter

Lena. Allerhand und mehr

Lena fährt auf Klassenreise

Linnea. Allerhand und mehr

Linnea macht Sachen

Linnea rettet Schwarzer Wuschel

Prinzessin Rosenblüte.
   Wach geküsst!

Seeräuber-Moses

Leinen los, Seeräuber-Moses

Sophies schlimme Briefe

Und dann ist wirklich Weihnachten.
   Geschichten von Kirsten Boie

Verflixt – ein Nix!

Wieder Nix!

Nix wie weg!

Wir Kinder aus dem Möwenweg

Sommer im Möwenweg

Geburtstag im Möwenweg

Weihnachten im Möwenweg

Ein neues Jahr im Möwenweg

Geheimnis im Möwenweg

Ostern im Möwenweg

Ferien im Möwenweg

Ab 10 Jahren

Alhambra

Der durch den Spiegel kommt

Ich ganz cool

Der Junge, der Gedanken
   lesen konnte

Die Medlevinger

Entführung mit Jagdleopard

Es gibt Dinge, die kann man nicht
   erzählen

Monis Jahr

Nicht Chicago. Nicht hier.

Der Prinz und der Bottelknabe

Ringel Rangel Rosen

Schwarze Lügen

Skogland

Verrat in Skogland

Thabo – Detektiv und Gentleman –
   Der Nashorn-Fall

Oetinger

Weitere Informationen unter: **www.kirsten-boie.de** und **www.oetinger.de**